COLLECTION FOLIO

André Gide

Le retour de l'enfant prodigue

précédé de
cinq autres traités

Le traité du Narcisse
La tentative amoureuse
El Hadj . Philoctète
Bethsabé

Gallimard

C'est à Paris, le 22 novembre 1869, que naquit André Gide au 19 de la rue de Médicis, non loin de la faculté de droit où son père, Paul Gide, allait occuper la chaire de droit romain.

Le grand écrivain était d'ascendance mi-normande mi-méridionale.

C'est en 1891 qu'il publia sans nom d'auteur *Les Cahiers de Walter, œuvre posthume.* Il les fit d'ailleurs mettre au pilon quelques jours plus tard. La même année, il fit éditer *Le Traité du Narcisse,* puis, en 1892, les *Poésies d'André Walter. La Tentative amoureuse,* en 1893, attirait l'attention des lettrés sur les œuvres de ce jeune écrivain tout empreintes d'ironie subtile.

C'est vers cette époque aussi qu'André Gide commença les nombreux voyages qui, tout au long de sa vie, allaient le mener tour à tour en Afrique du Nord, en Afrique centrale et en Italie, pays latin pour lequel il eut une immense affection ; en U.R.S.S. aussi... On se souvient de la retentissante publication de *Retour de l'U.R.S.S.* qui marque sa rupture avec le parti communiste.

En 1893, André Gide publiait *Le Voyage d'Urien,* puis *Paludes* en 1895. *Les Nourritures terrestres* sont de 1897, tandis que *Le Prométhée mal enchaîné,* conte psychologique, est de 1899. André Gide ouvrit le siècle avec ses *Lettres à Angèle.* Deux ans plus tard paraissait

L'Immoraliste, essai qui donna un caractère si particulier à l'écrivain et qui fit dire à ses commentateurs qu'André Gide était dans la littérature contemporaine un des plus riches terrains de contradictions et de discussions qu'il soit possible de trouver.

Le 1er février 1909 parut le premier cahier de *La Nouvelle Revue Française.* Dans cette livraison figuraient des pages de *La Porte étroite* que Gide avait reprise à la *Revue de Paris* dans l'intention d'aider le jeune mouvement naissant auquel participaient également Jean Schlumberger, Jacques Copeau, André Ruyters.

En 1909 aussi, André Gide publia *Le Retour de l'enfant prodigue,* parabole que beaucoup d'exégètes considèrent comme le chef-d'œuvre du grand écrivain. Ses œuvres se succèdent ensuite, presque chaque année : *Isabelle* paraît en 1911, *Nouveaux prétextes* quelques mois plus tard, *Souvenirs de la cour d'assises* en 1913, *La Symphonie pastorale* en 1919, *Si le grain ne meurt* en 1921, *Souvenirs-Confessions-Corydon* de 1911 à 1924, *Incidences* en 1924, *Les Faux Monnayeurs* en 1925, *Congo* en 1928, *Retour du Tchad* et *L'École des femmes* en 1929.

On sait qu'André Gide a donné également plusieurs œuvres au théâtre, notamment *Saül, Le Roi Candaule* et *Œdipe...*

Ses études sur Dostoïevski, Oscar Wilde et ses traductions de Shakespeare, Conrad, Whitman, Tagore et Blake figurent parmi les meilleures qui aient été faites de ces auteurs.

André Gide, enfin, s'est exprimé dans cette œuvre capitale qu'est son *Journal.* Il reçut le prix Nobel en 1947, et devait s'éteindre, le 19 février 1951, dans son domicile de la rue Vaneau.

LE TRAITÉ DU NARCISSE

(THÉORIE DU SYMBOLE)

à Paul Valéry

Nuper me in littore vidi.
Virgile.

LE TRAITÉ DU NARCISSE *parut dans les Entretiens politiques et littéraires, numéro de janvier 1891; puis, presque aussitôt après, à la librairie de l'Art Indépendant.*

Les livres ne sont peut-être pas une chose bien nécessaire; quelques mythes d'abord suffisaient; une religion y tenait tout entière. Le peuple s'étonnait à l'apparence des fables et sans comprendre il adorait; les prêtres attentifs, penchés sur la profondeur des images, pénétraient lentement l'intime sens du hiéroglyphe. Puis on a voulu expliquer; les livres ont amplifié les mythes; — mais quelques mythes suffisaient.

Ainsi le mythe du Narcisse : *Narcisse était parfaitement beau, — et c'est pourquoi il était chaste; il dédaignait les Nymphes — parce qu'il était amoureux de lui-même. Aucun souffle ne troublait la source, où, tranquille et penché, tout le jour il contemplait son image...* — Vous savez l'histoire. Pourtant nous la dirons encore. Toutes choses sont dites déjà; mais comme personne n'écoute, il faut toujours recommencer.

Il n'y a plus de berge ni de source; plus de métamorphose et plus de fleur mirée; — rien que le seul Narcisse, donc, qu'un Narcisse rêveur et s'isolant sur des grisailles. En la monotonie inutile de l'heure il s'inquiète, et son cœur incertain s'interroge. Il veut connaître enfin quelle forme a son âme ; elle doit être, il sent, excessivement adorable, s'il en juge par ses longs frémissements ; mais son visage ! son image ! Ah ! ne pas savoir si l'on s'aime... ne pas connaître sa beauté ! Je me confonds, dans ce paysage sans lignes, qui ne contrarie pas ses plans. Ah ! ne pas pouvoir se voir ! Un miroir ! un miroir ! un miroir ! un miroir !

Et Narcisse, qui ne doute pas que sa forme ne soit quelque part, se lève et part à la recherche des contours souhaités pour envelopper enfin sa grande âme.

Au bord du fleuve du temps, Narcisse s'est arrêté. Fatale et illusoire rivière où les années passent et s'écoulent. Simples bords, comme un cadre brut où s'enchâsse l'eau, comme une glace sans tain ; où rien ne se verrait derrière ; où, derrière, le vide ennui s'éploierait. Un morne, un léthargique canal, un presque horizontal miroir ; et rien ne distinguerait de l'ambiance incolorée cette eau terne, si l'on ne sentait qu'elle coule.

De loin, Narcisse a pris le fleuve pour une route, et comme il s'ennuyait, tout seul dans tout ce gris, il s'est approché pour voir passer des choses. Les mains sur le cadre, maintenant, il se penche, dans sa traditionnelle posture. Et voici que, comme il regarde, sur l'eau soudain se diapre une mince apparence. — Fleurs des rives, troncs d'arbres, fragments de ciel bleu reflétés, toute une fuite de rapides images qui n'attendaient que lui pour être, et qui sous son regard se colorent. Puis des collines s'ouvrent et des forêts s'échelonnent au long des pentes des vallées, — visions qui selon le cours des eaux ondulent, et que les flots diversifient. Narcisse regarde émerveillé ; — mais ne comprend pas bien, car l'une et l'autre se balancent, si son âme guide le flot, ou si c'est le flot qui la guide.

Où Narcisse regarde, c'est le présent. Du plus lointain futur, les choses, virtuelles encore, se pressent vers l'être ; Narcisse les voit, puis elles passent ; elles s'écoulent dans le passé. Narcisse trouve bientôt que c'est toujours la même chose. Il interroge ; puis médite. Toujours les mêmes formes passent ; l'élan du flot, seul les différencie. — Pourquoi plusieurs ? ou bien pourquoi les mêmes ? — C'est donc qu'elles sont imparfaites, puisqu'elles recommencent toujours... et toutes, pense-t-il, s'efforcent et s'élancent vers une forme première perdue, paradisiaque et cristalline.

Narcisse rêve au paradis.

I

Le Paradis n'était pas grand; parfaite, chaque forme ne s'y épanouissait qu'une fois; un jardin les contenait toutes. — S'il était, ou s'il n'était pas, que nous importe? mais il était tel, s'il était. Tout s'y cristallisait en une floraison nécessaire, et tout était parfaitement ainsi que cela devait être. — Tout demeurait immobile, car rien ne souhaitait d'être mieux. La calme gravitation opérait seule lentement la révolution de l'ensemble.

Et comme aucun élan ne cesse, dans le Passé ni dans l'Avenir, le Paradis n'était pas devenu, — il était simplement depuis toujours.

Chaste Eden! Jardin des Idées! où les formes, rythmiques et sûres, révélaient sans effort leur nombre; où chaque chose était ce qu'elle paraissait; où prouver était inutile.

Eden! où les brises mélodieuses ondulaient en courbes prévues; où le ciel étalait l'azur sur la pelouse symétrique; où les oiseaux étaient couleur du temps et les papillons sur les fleurs faisaient des harmonies providentielles ; où la rose était rose parce que la cétoine était verte, qui venait c'est pourquoi s'y poser. Tout était parfait comme un nombre et se scandait normalement ; un accord émanait du rapport des lignes ; sur le jardin planait une constante symphonie.

Au centre de l'Eden, Ygdrasil, l'arbre logarithmique, plongeait dans le sol ses racines de vie, et promenait sur la pelouse autour, l'ombre épaisse de son feuillage où s'éployait la seule Nuit. Dans l'ombre, contre son tronc, s'appuyait le livre du Mystère — où se lisait la vérité qu'il faut connaître. Et le vent, soufflant dans les feuilles de l'arbre, en épelait, le long du jour, les hiéroglyphes nécessaires.

Adam, religieux, écoutait. Unique, encore insexué, il demeurait assis à l'ombre du grand arbre. L'homme ! Hypostase de l'Elohim, suppôt de la Divinité ! pour lui, par lui, les formes apparaissent. Immobile et central parmi toute cette féerie, il la regarde qui se déroule.

Mais, spectateur obligé, toujours, d'un spectacle où il n'a d'autre rôle que celui de regarder toujours, il se lasse. — Tout se joue pour lui, il le sait, — mais lui-même... — mais lui-même il ne se voit pas. Que lui fait dès lors tout le reste ? ah ! se voir ! — Certes il est puissant, puisqu'il crée et que le monde entier se suspend après son regard, — mais que sait-il de sa puissance, tant qu'elle reste inaffirmée ? — A force de les contempler, il ne se distingue plus de ces choses : ne pas savoir où l'on s'arrête — ne pas savoir jusqu'où l'on va ! Car c'est un esclavage enfin, si l'on n'ose risquer un geste, sans crever toute l'harmonie. — Et puis, tant pis ! cette harmonie m'agace, et son accord toujours parfait. Un geste ! un petit geste, pour savoir, — une dissonance, que diable ! — Eh ! va donc ! un peu d'imprévu.

Ah ! saisir ! saisir un rameau d'Ygdrasil entre ses doigts infatués, et qu'il le brise...

C'est fait.

... Une imperceptible fissure d'abord, un cri, mais qui germe, s'étend, s'exaspère, strident siffle et bientôt gémit en tempête. L'arbre Ygdrasil flétri chancelle et craque ; ses feuilles où jouaient les brises, frissonnantes et recroquevillées, se révulsent dans la bourrasque qui se lève et les emporte au loin, — vers l'inconnu d'un ciel nocturne et vers de hasardeux parages, où fuit l'éparpillement aussi des pages arrachées au grand livre sacré qui s'effeuille.

Vers le ciel monte une vapeur, larmes, nuages qui retombent en larmes et qui remonteront en nuées : le temps est né.

Et l'Homme épouvanté, androgyne qui se dédouble, a pleuré d'angoisse et d'horreur, sentant, avec un sexe neuf, sourdre en lui l'inquiet désir pour cette moitié de lui presque pareille, cette femme tout à coup surgie, là, qu'il embrasse, dont il voudrait se ressaisir, — cette femme qui dans l'aveugle effort de recréer à travers soi l'être parfait et d'arrêter là cette engeance, fera s'agiter en son sein l'inconnu d'une race nouvelle, et bientôt poussera dans le temps un autre être, incomplet encore et qui ne se suffira pas.

Triste race qui te disperseras sur cette terre de crépuscule et de prières ! le souvenir du Paradis perdu viendra désoler tes extases, du Paradis que tu rechercheras partout — dont viendront te reparler des prophètes — et des poètes, que voici, qui recueilleront pieusement les feuillets déchirés du Livre immémorial où se lisait la vérité qu'il faut connaître.

II

Si Narcisse se retournait, il verrait, je pense, quelque verte berge, le ciel peut-être, l'Arbre, la Fleur — quelque chose de stable enfin, et qui dure, mais dont le reflet tombant sur l'eau se brise et que la fugacité des flots diversifie.

Quand donc cette eau cessera-t-elle sa fuite ? et résignée enfin, stagnant miroir, dira-t-elle en la pureté pareille de l'image, — pareille enfin, jusqu'à se confondre avec elles — les lignes de ces formes fatales, — jusqu'à les devenir, enfin.

Quand donc le temps, cessant sa fuite, laissera-t-il que cet écoulement se repose ? Formes, formes divines et pérennelles ! qui n'attendez que le repos pour reparaître, oh ! quand, dans quelle nuit, dans quel silence, vous recristalliserez-vous ?

Le Paradis est toujours à refaire ; il n'est point en quelque lointaine Thulé. Il demeure sous l'apparence. Chaque chose détient, virtuelle, l'intime harmonie de son être, comme chaque sel, en lui, l'archétype de son cristal ; — et vienne un temps de nuit tacite, où les eaux plus denses descendent : dans les abîmes imperturbés fleuriront les trémies secrètes...

Tout s'efforce vers sa forme perdue ; elle transparaît, mais salie, gauchie, et qui ne se satisfait pas, car toujours elle recommence ; pressée, gênée par les formes voisines qui s'efforcent aussi chacune de paraître, — car, être ne suffit plus : il faut que l'on se prouve, — et l'orgueil infatue chacune. L'heure qui passe bouleverse tout.

Comme le temps ne fuit que par la fuite des choses, chaque chose s'accroche et se crispe pour ralentir un peu cette course et pouvoir apparaître mieux. Il est des époques alors, où les choses se font plus lentes, où le temps repose, — l'on croit ; — et comme le bruit, avec le mouvement, cesse, — tout se tait. On attend ; on comprend que l'instant est tragique et qu'il ne faut pas bouger.

« Il se fit dans le ciel un silence » ; prélude des apocalypses. — Oui tragiques, tragiques époques, où commencent des ères nouvelles, où le ciel et la terre se recueillent, où le livre aux sept sceaux va s'ouvrir, où tout va se fixer dans une posture éternelle... mais surgit quelque clameur importune ; sur les plateaux élus où l'on croit que le temps va finir, — toujours quelques avides soldats qui se partagent des vêtements, et qui jouent aux dés des tuniques, — lorsque l'extase immobilise les saintes femmes, et que le voile qui se déchire va livrer les secrets du temple ; quand toute la création contemple le Christ enfin qui se fige en la croix suprême, disant les dernières paroles : « Tout est consommé... »

... Et puis, non! tout est à refaire, à refaire éternellement — parce qu'un joueur de dés n'avait pas arrêté son vain geste, parce qu'un soldat voulait gagner une tunique, parce que quelqu'un ne regardait pas.

Car la faute est toujours la même et qui reperd toujours le Paradis : l'individu qui songe à soi tandis que la Passion s'ordonne, et, comparse orgueilleux, ne se subordonne pas [1].

Inépuisables messes, chaque jour, pour remettre le Christ en agonie, et le public en position de

1. Les Vérités demeurent derrière les Formes — Symboles. Tout phénomène est le Symbole d'une Vérité. Son seul devoir est qu'il la manifeste. Son seul péché : qu'il se préfère.

Nous vivons pour manifester. Les règles de la morale et de l'esthétique sont les mêmes : toute œuvre qui ne manifeste pas est inutile et par cela même, mauvaise. Tout homme qui ne manifeste pas est inutile et mauvais. (En s'élevant un peu, l'on verrait pourtant que tous manifestent — mais on ne doit le reconnaître qu'après.)

Tout représentant de l'Idée tend à se préférer à l'Idée qu'il manifeste. Se préférer — voilà la faute. L'artiste, le savant, ne doit pas se préférer à la Vérité qu'il veut dire : voilà toute sa morale; ni le mot, ni la phrase, à l'Idée qu'ils veulent montrer : je dirais presque, que c'est là toute l'esthétique.

Et je ne prétends pas que cette théorie soit nouvelle; les doctrines de renoncement ne prêchent pas autre chose.

La question morale pour l'artiste, n'est pas que l'Idée qu'il manifeste soit plus ou moins morale et utile au grand nombre; la question est qu'il la manifeste bien. — Car tout doit être manifesté, même les plus funestes choses : « Malheur à celui par qui le scandale arrive », mais « Il faut que le scandale arrive ». — L'artiste et l'homme vraiment homme, prière... un public ! — quand il faudrait prosterner l'humanité entière : — alors *une* messe suffirait.

Si nous savions être attentifs et regarder...

qui vit pour quelque chose, doit avoir d'avance fait le sacrifice de soi-même. Toute sa vie n'est qu'un acheminement vers cela.

Et maintenant que manifester ? — On apprend cela dans le silence.

(Cette note a été écrite en 1890, en même temps que le traité.)

III

Le Poète est celui qui regarde. Et que voit-il ? — Le Paradis.

Car le Paradis est partout ; n'en croyons pas les apparences. Les apparences sont imparfaites : elles balbutient les vérités qu'elles recèlent ; le Poète, à demi-mot, doit comprendre, — puis redire ces vérités. Est-ce que le Savant fait rien d'autre ? Lui aussi recherche l'archétype des choses et les lois de leur succession ; il recompose un monde enfin, idéalement simple, où tout s'ordonne normalement.

Mais, ces formes premières, le Savant les recherche, par une induction lente et peureuse, à travers d'innombrables exemples : car il s'arrête à l'apparence, et, désireux de certitude, il se défend de deviner.

Le Poète, lui, qui sait qu'il crée, devine à travers chaque chose — et une seule lui suffit, symbole, pour révéler son archétype ; il sait que l'apparence n'en est que le prétexte, un vêtement qui la dérobe et où s'arrête l'œil profane, mais qui nous montre qu'Elle est là [1].

Le Poète pieux contemple ; il se penche sur les symboles, et silencieux descend profondément au cœur des choses, — et quand il a perçu, visionnaire, l'Idée, l'intime Nombre harmonieux de son Être, qui soutient la forme imparfaite, il la saisit, puis, insoucieux de cette forme transitoire qui la revêtait dans le temps, il sait lui redonner une forme éternelle, *sa* Forme véritable enfin, et fatale, — paradisiaque et cristalline.

Car l'œuvre d'art est un cristal — paradis partiel et l'Idée refleurit en sa pureté supérieure ; où, comme dans l'Eden disparu, l'ordre normal et nécessaire a disposé toutes les formes dans une réciproque et symétrique dépendance, où l'orgueil du mot ne supplante pas la Pensée, — où les phrases rythmiques et sûres, symboles encore, mais symboles purs, où les paroles, se font transparentes et révélatrices.

De telles œuvres ne se cristallisent que dans le silence ; mais il est des silences parfois au milieu de la foule, où l'artiste réfugié, comme Moïse sur le Sinaï, s'isole, échappe aux choses, au temps, s'enveloppe d'une atmosphère de lumière au-dessus de la multitude affairée. En lui, lentement, l'Idée se repose, puis lucide s'épanouit hors des heures. Et comme elle n'est pas dans le temps, le

1. A-t-on compris que j'appelle symbole — *tout ce qui paraît ?*

temps ne pourra rien sur elle. Disons plus : on se demande si le Paradis, hors du temps lui-même, n'était peut-être jamais que là, — c'est-à-dire qu'idéalement...

Narcisse cependant contemple de la rive cette vision qu'un désir amoureux transfigure ; il rêve. Narcisse solitaire et puéril s'éprend de la fragile image ; il se penche, avec un besoin de caresse, pour étancher sa soif d'amour, sur la rivière. Il se penche et, soudain, voici que cette fantasmagorie disparaît ; sur la rivière il ne voit plus que deux lèvres au-devant des siennes, qui se tendent, deux yeux, les siens, qui le regardent. Il comprend que c'est lui, — qu'il est seul — et qu'il s'éprend de son visage. Autour, un azur vide, que ses bras pâles crèvent, tendus par le désir à travers l'apparence brisée, et qui s'enfoncent dans un élément inconnu.

Il se relève alors, un peu ; le visage s'écarte. La surface de l'eau, comme déjà, se diapre et la vision reparaît. Mais Narcisse se dit que le baiser est impossible, — il ne faut pas désirer une image : un geste pour la posséder la déchire. Il est seul. — Que faire ? Contempler.

Grave et religieux il reprend sa calme attitude : il demeure — symbole qui grandit — et, penché sur l'apparence du Monde, sent vaguement en lui, résorbées, les générations humaines qui passent.

Ce traité n'est peut-être pas quelque chose de bien nécessaire. Quelques mythes d'abord suffisaient. Puis on a voulu expliquer; orgueil de prêtre qui veut révéler les mystères, afin de se faire adorer, — ou bien vivace sympathie, et cet amour apostolique, qui fait que l'on dévoile et qu'on profane en les montrant, les plus secrets trésors du temple, parce qu'on souffre d'admirer seul et qu'on voudrait que d'autres adorent.

LA TENTATIVE AMOUREUSE

OU

LE TRAITÉ DU VAIN DÉSIR

à Francis Jammes

Le désir est comme une flamme brillante, et ce qu'il a touché n'est plus que de la cendre, — poussière légère qu'un peu de vent disperse — ne pensons donc qu'à ce qui est éternel.

Calderón,
La Vie est un Songe.

Nos livres n'auront pas été les récits très véridiques de nous-mêmes, — mais plutôt nos plaintifs désirs, le souhait d'autres vies à jamais défendues, de tous les gestes impossibles. Ici j'écris un rêve qui dérangeait par trop ma pensée et réclamait une existence. Un désir de bonheur, ce printemps, m'a lassé ; j'ai souhaité de moi quelque éclosion plus parfaite. J'ai souhaité d'être heureux, comme si je n'avais rien d'autre à être ; comme si le passé pas toujours sur nous ne triomphe ; comme si la vie n'était pas faite de l'habitude de sa tristesse, et demain la suite d'hier, — comme si ne voici pas qu'aujourd'hui mon âme s'en retourne déjà vers ses études coutumières, sitôt délivrée de son rêve.

Et chaque livre n'est plus qu'une tentation différée.

Certes, ce ne seront ni les lois importunes des hommes, ni les craintes, ni la pudeur, ni le remords, ni le respect de moi ni de mes rêves, ni toi, triste mort, ni l'effroi d'après tombe, qui m'empêcheront de joindre ce que je désire ; ni rien — rien que l'orgueil, sachant une chose si forte, de me sentir plus fort encore et de la vaincre. — Mais la joie d'une si hautaine victoire — n'est pas si douce encore, n'est pas si bonne que de céder à vous, désirs, et d'être vaincu sans bataille.

Lorsque le printemps vint cette année, je fus tourmenté par sa grâce ; et comme des désirs faisaient ma solitude douloureuse, je sortis au matin dans les champs. Tout le jour le soleil rayonna sur la plaine ; je marchai rêvant au bonheur. Certes, il est, pensais-je, d'autres terres que ces landes désenchantées où je menais paître mon âme. Quand pourrai-je, loin de mes moroses pensées, promener au soleil toute joie, et, dans l'oubli d'hier et de tant de religions inutiles, embrasser le bonheur qui viendra, fortement, sans scrupule et sans crainte ? Et je n'osais rentrer ce soir-là, sachant imaginer trop d'inquiétudes nouvelles : je marchai vers les bois où déjà, jadis et tant de fois, ma tristesse s'était perdue. — La nuit vint et le clair de lune. Le bois se fit tranquille et s'emplit d'ombres merveilleuses ; le vent frémit ; les oiseaux de nuit s'éveillèrent. J'entrai dans une allée profonde où le sable à mes pieds luisait, et cette blancheur poursuivie me guidait. Entre les branches plus espacées, quand le vent agitait les arbres, on voyait flotter sur l'allée la forme insaisissable des brumes ; et, comme au milieu de la nuit la rosée ruissela des feuilles, des parfums s'étant élevés la forêt devint amoureuse. Il y eut des frémissements parmi l'herbe ; chaque forme cherchant, trouvant, faisant l'harmonie, les fleurs larges se balancèrent, et le pollen flotta, plus léger que la brume, en poussière. Une joie secrète et pâmée se sentait bruire sous les branches. J'attendais. Les oiseaux nocturnes pleurèrent. Puis tout se tut ; c'était le recueillement d'avant l'aube ; la joie devint sereine et ma solitude éperdue, sous la nuit pâle et conseillère.

Qualquiera ventio que sopla.
Poussière légère, qu'un peu de vent disperse.

I

L'aube vint. Chargé de fleurs, Luc sortit du bois encore nocturne et transi un peu de fraîcheur matinale, il s'assit au talus de l'orée pour attendre le lever du soleil. Devant lui s'étalait une pelouse humide, de fleurs diaprée et d'eau vaporeuse et brillante. Luc attendait tout le bonheur, confiant, et pensant qu'il viendrait comme un essaim volant se pose et que pour lui déjà tout s'était mis en route. L'aurore frémissait d'une joie infinie et le printemps naissait d'un appel de sourires. Des chants vibrèrent et parut une ronde de jeunes filles.

Folles et par l'herbe trempées, et les cheveux encore défaits de la nuit, elles cueillirent des fleurs toutes, et, levant leur jupe en corbeille, laissèrent danser leurs pieds nus. Puis, de leurs rondes vite lassées, elles descendirent au bas du pré, vers les sources, s'y laver, s'y mirer, s'apprêter pour les plaisirs du jour.

En se quittant, chacune oublia ses compagnes.

Rachel revint seule et songeuse; elle reprit les

fleurs tombées et se baissait en geste d'en cueillir de nouvelles, pour ne pas voir approcher Luc. Elle cueillait les boutons-d'or, les sauges et les marguerites, et toutes les fleurs des prairies. Luc apportait les digitales des ravins et les jacinthes violettes. Il était tout près de Rachel ; maintenant elle tressait les fleurs. Luc voulait, mais n'osait joindre ses fleurs à la guirlande ; et soudain, les jetant à ses pieds :

— Ce sont les fleurs sombres des bois, dit-il, et je les ai cueillies dans l'ombre, — pour vous, puisque c'est vous qui parûtes ; j'avais cherché toute la nuit. Vous êtes belle comme le printemps cette année, et plus jeune encore que moi-même. J'ai vu ce matin vos pieds nus. Vous étiez avec vos compagnes et je n'osais pas m'approcher ; maintenant vous êtes là seule. Prenez mes fleurs et venez, je vous prie ; apprenons-nous des joies charmantes.

Rachel souriait attentive ; Luc l'ayant prise par la main, ce fut ensemble qu'ils rentrèrent.

Le jour passa dans les jeux et les rires. Luc s'en retourna seul au soir. La nuit vint, pour lui, sans sommeil ; souvent, quittant son lit trop chaud, il marchait dans sa chambre, ou se penchait dans la fenêtre ouverte. Il souhaitait d'être plus jeune et d'une bien plus grande beauté, pensant qu'entre deux êtres, l'amour a la splendeur de leurs corps. Toute la nuit Luc désira Rachel. Au matin il courut vers elle.

Une allée de lilas menait à sa demeure; puis c'était un jardin plein de roses, enclos d'une barrière basse; dès l'abord, Luc entendit Rachel chanter. Il resta jusqu'au soir, puis il revint le lendemain; — il revint chaque jour; à l'éveil il partait; dans le jardin, Rachel attendait souriante.

Des jours passèrent; Luc n'osait rien; Rachel se livra la première. — Un matin, ne l'ayant pas trouvée sous la charmille accoutumée, Luc décida de monter à sa chambre. Rachel était assise sur le lit, les cheveux défaits, presque nue, couverte seulement d'un châle déjà presque tout retombé; certes elle attendait. Luc arriva, rougit, sourit, — mais ayant vu ses jambes exquises si frêles, il y sentit une fragilité, et s'étant agenouillé devant elle, il baisa ses pieds délicats, puis ramena le pan du châle.

Luc souhaitait l'amour mais s'effrayait de la possession charnelle comme d'une chose meurtrie. Triste éducation que nous eûmes, qui nous fit pressentir sanglotante et navrée ou bien morose et solitaire, la volupté pourtant glorieuse et sereine. Nous ne demanderons plus à Dieu, de nous élever au bonheur. — Puis, non! Luc n'était pas ainsi; car c'est une dérisoire manie que de faire toujours pareil à soi, qui l'on invente. — Donc Luc posséda cette femme.

Comment dirai-je leur joie, à présent, sinon en racontant, autour d'eux, la nature pareille, joyeuse aussi, participante. Leurs pensées n'étaient plus importantes : ne s'occupant que d'être heureux, leurs questions étaient des souhaits, et des assouvissements les réponses. Ils apprenaient les confidences de la chair et leur intimité devenait chaque jour plus secrète.

Un soir qu'il la quittait selon son habitude : Pourquoi partez-vous? lui dit-elle; si c'est pour quelque amour, c'est bien — allez — je ne suis pas jalouse. Sinon restez — venez : ma couche vous convie.

Il resta dès lors chaque nuit

L'air était devenu plus tiède, les nuits si belles, qu'ils ne fermaient plus la croisée : ils dormaient ainsi sous la lune — et comme un rosier plein de fleurs montait, entourait la fenêtre, ils en avaient emprisonné des branches; l'odeur des roses se mêlait à celle des bouquets dans la chambre. A cause de l'amour ils s'endormaient très tard; ils avaient des réveils comme ceux de l'ivresse — très tard, encore fatigués de la nuit. Ils se lavaient dans une source claire, qui coulait du jardin, et Luc regardait Rachel se baigner nue sous les feuilles. — Puis ils partaient en promenade.

Souvent ils attendaient le soir, assis dans l'herbe et sans rien faire; ils regardaient le soleil s'abaisser; puis lorsque l'heure enfin s'était faite plus douce, ils regagnaient lentement la demeure. La mer n'était pas loin; par les fortes marées, la nuit, on entendait faiblement le bruit des vagues. Parfois ils descendaient jusqu'à la plage; c'était par une vallée étroite et tortueuse, sans ruisseau; des ajoncs, des genêts y croissaient et le vent y chassait du sable; puis la plage s'ouvrait : c'était un golfe, sans barques, sans navires; pourtant la mer y était calme. L'on voyait, presque en face, sur la côte recourbée et qui semblait au loin former une île, en ce point même, l'on apercevait comme la grille fastueuse d'un parc; au soir elle luisait comme de l'or. — Bientôt Rachel ne trouvait plus de coquilles dans le sable; ils s'ennuyaient devant la mer.

Non loin aussi était un village, mais ils n'y passaient pas souvent à cause des pauvres.

Lorsqu'il pleuvait ou que, par nonchalance, ils n'allaient même pas dans les prés, Rachel étendue, Luc étant à ses pieds, le priait de lui dire une histoire : Parlez, disait-elle, j'écoute à présent; ne cessez pas si je sommeille : racontez-moi des jardins au printemps, vous savez bien, et ces hautes terrasses.

Et Luc racontait les terrasses, les marronniers en enfilade, les jardins suspendus sur la plaine : — au matin, des fillettes y venaient jouer et danser leurs rondes, et le soleil était encore si bas sur la plaine, que les arbres ne faisaient pas d'ombre.

Un peu plus tard, de grandes jeunes filles tranquilles entrèrent parmi les plates-bandes et préparèrent des guirlandes — comme vous en tressiez, Rachel. Vers midi des couples survinrent, — et, le soleil ayant passé sur les arbres, la voûte opaque des ramées fit l'allée, semblait-il, plus fraîche; ceux qui s'y promenaient ne se parlaient plus qu'à voix basse. Un peu plus tard, comme elle était moins éblouie, on commença de voir la plaine où l'Été semblait épandu. Des promeneurs s'accoudèrent, se penchèrent aux balustrades; des groupes de femmes s'assirent, les unes dévidaient des écheveaux de laine que d'autres employaient en ouvrages. Les heures s'écoulèrent. Vinrent des écoliers, les écoles finies; des enfants jouèrent aux billes. Le soir tomba; les promeneurs devinrent solitaires; quelques-uns pourtant encore réunis, parlaient déjà du jour comme d'une chose finie. L'ombre de la terrasse descendit sur la plaine, et tout au bout de l'horizon, dans le ciel clair, la lune parut très fine et pure. — Je suis venu, la nuit errer sur la terrasse déserte... — Luc se tut et regarda Rachel, endormie au bruit des paroles.

Ils firent encore une promenade plus longue; c'était à la fin du printemps. Ayant gravi la colline où leur maison se trouvait sise, ils trouvèrent à mi-côte, sur le versant opposé, un canal. Une rangée de peupliers le bordait; un chemin en talus le suivait, puis le terrain continuait sa pente. Ayant pu traverser le canal sur un pont, le soleil qui brûlait les fit suivre le bord de l'eau. De la vallée une chaleur montait par vagues; l'air vibrait sur les champs; une grande route au loin poudroyait quand y passait une charrette; ils virent l'Été sur la plaine. Le chemin, les arbres, le canal suivaient assidûment les courbes de la colline ; eux donc suivaient le canal sur la berge ; vers l'autre berge un petit bois venait finir. — Ce fut tout. Ils marchèrent ainsi très longtemps ; mais voyant que ça continuait indéfiniment, quand ils en eurent assez, ils revinrent.

II

Madame — c'est à vous que je conterai cette histoire. Vous savez que nos tristes amours se sont égarées dans la lande, et c'est vous qui vous plaigniez autrefois que j'eusse tant de peine à sourire. Cette histoire est pour vous : j'y ai cherché ce que donne l'amour ; si je n'ai trouvé que l'ennui, c'est ma faute : vous m'aviez désappris d'être heureux. — Que la joie est brève en un livre et qu'elle est vite racontée ; combien est banal un sourire sans vice et sans mélancolie ! Puis, que nous fait l'amour des autres, l'amour qui leur fait le bonheur. — Tant pis pour eux, Luc et Rachel s'aimèrent ; pour l'unité de mon récit, ils ne firent même rien d'autre ; ils ne connurent de l'ennui que celui même du bonheur. — La cueillaison des fleurs était leur occupation monotone. Ils n'écartaient pas le désir pour une poursuite plus lointaine, et goûtaient peu les langueurs de l'attente. Ils ignoraient ce geste qui repousse cela même qu'on voudrait étreindre, — comme nous faisions, ah ! Madame — par la crainte de posséder et par amour du pathétique. — Ils cueillaient aussitôt toute fleur désirable, sans souci qu'entre leurs mains tièdes, elle ne fût trop vite fanée. — Heureux ceux qui comme eux pourront aimer sans conscience! Ils en étaient à peine fatigués; — car ce n'est pas tant l'amour, et ce n'est pas tant le péché que de s'en repentir, qui fatigue. Donc ils avaient pris cette coutume de regarder bien peu sur les eaux du passé leurs actions flottantes; et leur joie à eux leur venait de l'ignorance de la tristesse; ils ne se souvenaient que de baisers et de prises qu'on peut refaire. Il y eut alors un instant où leurs vies vraiment se fondirent. C'était au solstice d'Été; dans l'air tout bleu, les hautes branches au-dessus d'eux avaient des gracilités souveraines.

Été! Été! Il faudrait chanter cela comme un cantique. — Cinq heures; — je me suis levé (voici l'aube) et je suis sorti par les champs. — S'ils savaient tout ce qu'il y a de rosée fraîche sur l'herbe, d'eau froide où laveront les pieds frissonnants du matin; s'ils savaient les rayons sur les champs, et l'étourdissement de la plaine; s'ils savaient l'accueil de sourires que l'aube fait à qui descend vers elle dans l'herbe, — ils ne resteraient pas à dormir, je suppose, — mais Luc et Rachel sont las des baisers de la nuit, et cette lassitude amoureuse met plus de sourires peut-être dans leurs rêves que l'aube n'en a mis dans les champs.

Un matin pourtant ils sortirent; ils gagnèrent

cette même vallée et ce canal qu'un jour de printemps ils suivaient; mais, ayant doublé la colline au lieu de la gravir, ils arrivèrent en un lieu où le canal rejoignait une large rivière; le canal servait au halage; ils passèrent l'eau sur une écluse et suivirent le chemin de halage, ayant à droite le canal, à gauche la rivière. Sur l'autre rive, était aussi une route. Et ces cinq routes parallèles dans l'étroite vallée, aussi loin qu'ils voyaient, s'enfonçaient. Leur promenade ce jour-là fut assez longue, mais pas intéressante à raconter.

Ils voulurent revoir la plage; ils redescendirent la valleuse; ils s'assirent devant la mer. Les flots d'une récente tempête avaient amené sur la grève des coquilles des profondeurs, des épaves et des lambeaux d'algue arrachés; les vagues encore gonflées étourdissaient par une clameur continue. Et Rachel soudain eut une inquiétude : elle sentit que Luc commençait à penser. Un vent plus froid soufflait; un frisson les saisit; ils se levèrent. — Luc marcha devant, trop vite, un peu déclamatoire; une poutre était là, déchiquetée et noire, pilotis inconnu, fragment de bateau, bois des Iles... et tous deux devant cela s'arrêtèrent. Après, Luc regarda la mer; Rachel, par besoin, par instinct, s'appuya sur Luc et pencha la tête contre son épaule, sentant confusément en lui l'angoisse et la soif d'aventures. Ils restaient debout. Le soleil s'en allait, s'enfonçait au-delà du golfe, après le détroit, où l'on voyait entre les promontoires fuir au loin la ligne infinie de la mer.

Et, tandis que le soleil plongeait, alors, en face d'eux, comme sur une île, les grilles du parc inconnu, recevant les rayons mourants, commencèrent à briller d'une manière inexplicable et presque surnaturelle : du moins il le leur parut à ceci qu'ils ne se dirent rien l'un à l'autre ; chaque barreau, plutôt d'acier que d'or, semblait luire de lui-même, intimement, ou à cause d'une excessive polissure ; le plus curieux c'était qu'on croyait voir au-delà de la grille, encore que l'on n'aurait su dire quoi. Luc et Rachel sentirent, chacun, que l'autre n'osait pas en parler.

En revenant, Rachel trouva, sur le sable, un œuf de seiche, énorme, noir, élastique, et d'une bizarrerie de forme comme intentionnelle, tellement qu'ils la jugèrent importante pour eux, et en cherchèrent une cause.

Le souvenir de ce jour leur laissa une vague inquiétude, et songeant souvent malgré eux à ce parc, clos devant la mer, attirés, questionneurs, et n'ayant d'ailleurs pas de barque qui les y mène, ils résolurent d'y partir un matin, longeant les côtes, marchant jusqu'à ce qu'ils l'eussent atteint.

Ils se levèrent avant l'aube, et se mirent en route ; l'heure était grise et fraîche encore ; ils marchèrent comme des pèlerins sérieux, silencieux, préoccupés, ayant un but autre qu'eux-mêmes ; et leur curiosité retombée laissait en eux comme le sentiment d'une tâche. — Mais n'en disons pas trop, Madame, car voici presque qu'ils nous plaisent. — Tant pis ! pour une fois ils marchèrent sans souci de la chaleur du jour, guidés par une pensée, — car ce n'était plus un désir. Et Rachel ne se plaignait pas des graviers roulants de la route, ou du sable mobile où les pieds appuyés enfonçaient ; — tantôt suivant la grève, tantôt à travers champs — une fois remontant la berge d'une rivière jusqu'à ce qu'ils trouvassent un pont, — puis la redescendant ensuite, — puis à travers champs de nouveau. — Ah ! les voici enfin qui parvinrent presque au pied du mur ; c'était le Parc ; — et pour mieux en défendre l'approche, l'eau de la mer amenée dans un fossé garni de pierres, battait le pied du mur, et semblait se fermer sur lui, et ce mur avançait en digue, dans la mer, de sorte qu'on ne voyait rien de ce côté qu'un morne promontoire calcaire. Ils avancèrent. Le fossé cessa. Alors suivant le mur ils marchèrent. Le soleil était lourd ; la route devant eux s'allongeait ; — c'était l'heure où les murs des jardins n'ont pas d'ombre. Ils virent, presque sous le lierre et cachée, une petite porte fermée. Insensiblement le mur tournait, et le soleil, tournant aussi tandis que s'achevait le jour, semblait les suivre. Par-dessus le mur, des branches se penchaient, mais sans gestes. Il naissait de l'intérieur du parc, comme un bruit continu de rires, mais souvent les jets d'eau font le bruit même de paroles. Tout d'un coup ils se retrouvèrent devant la mer. Alors ils furent pris par une grande tristesse, et ils s'assirent un peu, avant de se remettre en route pour revenir. Devant eux, ainsi que de l'autre côté un promontoire de pierre s'avançait dans la mer, et continuait le mur dont la mer battait le pied dans une douve infranchissable. Et la tristesse les pénétra, les remplit, entrant toute à la fois par la plus étroite fissure. — Surtout, ils étaient las de la course, et de ce qu'elle eût été vaine. — Le soleil maintenant disparaissait derrière le parc ; ils marchaient dans l'ombre envahissante du mur ; il leur parut un peu qu'elle avait en elle un mystère. Il leur semblait entendre par instants le bruit comme d'un jeu de doigts sur des vitres, mais ce bruit cessant sitôt qu'ils cessaient de marcher, ils le crurent causé par l'étourdissement de leur marche. Il était nuit déjà depuis longtemps lorsqu'ils rentrèrent.

Le lendemain, dans le repos du jour : Racontez-moi l'aube d'été, dit Rachel, puisque me tient ici près de vous ma paresse. Luc commença :

C'était l'Été, mais avant l'aube ; les oiseaux ne chantaient pas encore ; la forêt s'éveillait à peine.

— Ô ! pas une forêt, dit-elle ; une avenue. L'aube naît, et si les oiseaux ne chantent pas encore, c'est à cause de la vallée trop profonde où la nuit est encore attardée ; mais déjà des clartés blanchissent le haut des collines.

— Vers ces clartés supérieures, reprit Luc,

deux chevaliers s'aventurèrent, et vers le plateau qui domine, après avoir suivi toute la nuit la vallée. Ils étaient silencieux et graves, ayant marché longtemps dans l'ombre, et les hauts chênes de l'avenue, au-dessus d'eux étendaient leurs branches. Leurs chevaux montaient lentement la route toute droite escarpée. Tandis qu'ils montaient augmentait autour d'eux la lumière. Sur le plateau le jour parut. — Sur le plateau s'étendait une autre avenue, plus vaste, coupant la première et qui suivait le sommet de la colline. Les deux chevaliers s'arrêtèrent. L'un dit : Séparons-nous, mon frère ; ce n'est pas la même route qui tous deux nous appelle — et mon courage suffisant n'a que faire du vôtre à mon aide. Où l'un vaut, l'autre est inutile. — Et l'autre dit : Adieu mon frère. — Puis, se tournant le dos, chacun d'eux s'en alla vers de solitaires conquêtes. — Alors tous les oiseaux s'éveillèrent. Il y eut des poursuites amoureuses sous les feuilles et des rondes d'insectes dans l'air : on entendait des vols d'abeilles et sur les gazons s'ouvraient les nouvelles fleurs butinées. Des murmures délicieux s'élevèrent.

Plus loin, où le terrain cessait, l'on ne voyait plus que des feuilles ; plus bas, dans la vallée moins ténébreuse, les cimes flottantes des arbres ; et plus bas encore, une brume. Ô ! comme nous nous serions penchés, pour voir les cerfs descendre boire !

— Et les deux chevaliers ? dit Rachel.

— Ah ! laissons-les, dit Luc — occupons-nous de l'avenue. — Il y vint, vers midi, une assemblée de jeunes femmes ; elles marchaient en se donnant la main, comme vous avec vos compagnes ; elles riaient ; puis vinrent des hommes costumés de soie et de dorures frivoles ; s'étant assis, tous ensemble causèrent.

Le jour passa ; eux s'étaient tus et l'ombre s'était allongée sur la mousse ; ils se levèrent et s'en allèrent pour voir se coucher le soleil. Et l'avenue s'emplit d'inquiétude et de murmure ; tout s'apprêtait à s'endormir ; — puis tout se tut ; c'était le soir et les branches se balancèrent ; les troncs gris paraissaient mystérieux dans l'ombre ; il s'éleva un chant d'oiseau crépusculaire. Alors l'on vit dans la nuit commencée deux chevaliers s'en revenir ; ils marchaient l'un vers l'autre, à cause de la route suivie, et leurs chevaux étaient comme après une grande fatigue. Eux ils étaient courbés, plus graves qu'au matin à cause de la tâche vaine. Et s'étant rejoints sans un mot ils redescendirent l'allée qui redescendait la colline, s'enfonçant dans la nuit sous les branches.

— Pourquoi partir alors, Luc — dit Rachel ; à quoi sert de se mettre en route ? N'êtes-vous pas toute ma vie ?

— Mais vous, Rachel, dit Luc — vous n'êtes pas toute la mienne. Il y a d'autres choses encore.

III

Madame, cette histoire m'ennuie. Vous savez bien que si j'ai fait des phrases, c'est pour les autres et non pour moi. J'ai voulu raconter un rapport de saisons avec l'âme; il nous fallait gagner l'Automne : je n'aime pas abandonner n'importe quelle tâche entreprise.

Deux âmes se rencontrent un jour, et, parce qu'elles cueillaient des fleurs, toutes deux se sont crues pareilles. Elles se sont prises par la main, pensant continuer la route. La suite du passé les sépare. Les mains se lâchent et voilà, chacune en vertu du passé continuera seule la route. C'est une séparation nécessaire, car seul un semblable passé pourra faire semblables les âmes. Tout est continu pour les âmes. — Il en est, vous savez, nous le savons, Madame, qui chemineront parallèles, et ne pourront pas s'approcher. — Donc Luc et Rachel se quittèrent; un seul jour, un seul instant d'Été, leurs deux lignes s'étaient mêlées, — un unique point de tangence — et déjà maintenant ils regardaient ailleurs.

Sur le sable assis près des vagues, Luc regardait la mer, et Rachel la contrée. Ils cherchaient par moments à ressaisir l'amour qui se dénoue, mais c'était du plaisir sans surprise ; c'était une chose épuisée et Luc était heureux en songeant à partir. Rachel ne le retenait plus. — Quand ils sortaient ensemble encore ils marchaient en songeant — j'allais dire : pensifs ; chacun regardait devant lui au lieu de tant regarder l'autre. Luc ne songeait plus à l'amour, mais leur amour laissait en eux, comme le souvenir d'une grande douceur, et comme le parfum des belles fleurs fanées — tout ce qui restait des guirlandes — mais sans tristesse, sans tristesse.

Certains jours, ils marchaient ainsi, languissamment et sans paroles. A cause des couleurs splendides qu'avaient prises les feuilles d'automne, d'un si beau reflet dans les eaux, ils préféraient les eaux dormantes et se promenaient lentement sur leurs bords. Les bois étaient glorieux et sonores : les feuilles en tombant découvraient l'horizon. Luc songeait à la vie immense. — Je dis cela parce que moi j'y songe ; je crois qu'il devait y songer. — Luc et Rachel m'ennuient, Madame : que vous dirai-je d'eux encore ?

Ils voulurent retourner voir le parc aux grilles merveilleuses. Ils trouvèrent, en longeant le mur, cette petite porte cachée, jadis très close et sans serrures — ouverte maintenant ; ils entrèrent ; — c'était un parc abandonné.

Rien ne peindrait la splendeur des allées.

L'automne jonchait les pelouses, et des branches étaient brisées ; de l'herbe avait couvert les routes, de l'herbe en fleur, des graminées ; ils marchaient là-dedans en silence, près des buissons pleins de baies rouges, où des rouges-gorges chantaient. J'aime la splendeur de l'automne. — Il y avait des bancs de pierre, des statues, puis une grande maison se dressa, aux volets clos et aux portes murées. — Dans le jardin restait le souvenir des fêtes ; des fruits trop mûrs pendaient aux espaliers. — Comme le soir tombait ils repartirent...

— Racontez-moi l'Automne, dit Rachel.

— L'automne, reprit Luc, ah ! c'est la forêt tout entière, et l'étang brun près de l'orée. Les cerfs y viennent et le cor retentit. Taïaut ! Taïaut ! La meute aboie ; — les cerfs se sauvent. Promenons-nous sous les grands bois. — La chasse accourt ; — elle est passée ; — avez-vous vu les palefrois ? Le son du cor s'éloigne, s'éloigne dans les bois. — Allons revoir l'étang tranquille, où tombe le soir. —

— Votre histoire est stupide, dit Rachel ; on ne dit plus : des palefrois ; et je n'aime pas le tapage. Dormons.

Alors Luc la laissa ; n'ayant pas encore sommeil.

Ce fut bientôt après qu'ils se quittèrent ; adieu sans larmes ni sans sourires ; tranquille et naturellement ; leur histoire étant achevée. — Ils songeaient aux choses nouvelles.

Voici l'automne ici, Madame ; il pleut, les bois sont morts et l'hiver va venir. Je pense à vous ; mon âme est brûlante et calmée ; je suis assis auprès du feu ; près de moi sont mes livres ; je suis seul, je pense, j'écoute. — Reprendrons-nous comme autrefois nos beaux amours pleins de mystère ? — Je suis heureux ; je vis ; j'ai de hautes pensées.

J'ai fini de vous raconter cette histoire qui nous ennuie ; de grandes tâches maintenant nous appellent. Je sais que, sur la mer, sur l'océan de la vie, des naufrages glorieux attendent, — et des marins perdus, et des îles à découvrir. — Mais nous restons penchés sur les livres, et nos désirs s'en vont vers des actions plus certaines. C'est cela qui nous fait, je le sais, plus joyeux que les autres hommes. — Parfois cependant, lassé d'une étude trop continue, je descends vers le bois, par la pluie, et je vais voir finir l'automne. — Et je sais qu'après, certains soirs, rentrant de cette promenade, je me suis assis près du feu, comme ivre du bonheur de la vie, et presque sanglotant d'ivresse, sentant en ma pensée des œuvres sérieuses à faire. — J'agirai ! j'agirai ; je vis. Entre toutes nous aurons aimé les grandes œuvres silencieuses. Ce sera le poème, et l'histoire, et le drame ; nous nous pencherons sur la vie, — comme vous le faisiez bien, ma sœur, méditative et soucieuse. Maintenant je pars, mais songez, songez aux bonheurs du voyage...

Pourtant, j'aurais aimé — voici l'hiver — prolonger ce récit ensemble. Nous serions partis seuls un soir vers une ville de Hollande : la neige aurait empli les rues ; sur les canaux gelés, on aurait balayé la glace. Vous auriez patiné longtemps, avec moi, jusque dans la campagne, nous aurions été dans les champs où l'on voit se former la neige ; elle s'étend infiniment blanche ; il fait bon sentir l'air glacé. — La nuit vient, mais où luit la neige ; nous rentrons. Maintenant vous seriez près de moi dans la chambre ; du feu ; les rideaux clos, et toutes nos pensées. — Alors vous me diriez, ma sœur :

Aucunes choses ne méritent de détourner notre route ; embrassons-les toutes en passant ; mais notre but est plus loin qu'elles — ne nous y méprenons donc pas ; — ces choses marchent et s'en vont ; que notre but soit immobile — et nous marcherons pour l'atteindre. Ah ! malheur à ces âmes stupides qui prennent pour des buts les obstacles. Il n'y a pas des buts ; *les choses ne sont pas des buts ou des obstacles — non, pas même des obstacles ; il les faut seulement dépasser. Notre but unique c'est Dieu ; nous ne le perdrons pas de vue, car on le voit à travers chaque chose. Dès maintenant nous marcherons vers Lui ; dans une allée* grâce à nous seuls splendide, *avec les œuvres d'art à droite, les paysages à gauche, la route à suivre devant nous ; — et faisons-nous maintenant, n'est-ce pas, des âmes belles et joyeuses. Car ce sont nos larmes seulement qui font germer autour de nous les tristesses.*

Et vous êtes semblables, objets de nos désirs, à ces concrétions périssables qui, sitôt que les doigts les pressent, n'y laissent plus que de la cendre. — *Qualquiera ventio que sopla.*

Levez-vous, vents de ma pensée — qui dissiperez cette cendre.

Été 1893.
Yport et La Roque.

EL HADJ

OU

LE TRAITÉ DU FAUX PROPHÈTE

à Frédéric Rosenberg

O prophète ! fais connaître tout ce qui est descendu sur toi à cause de ton Prince ; car si tu ne le fais pas, tu n'as pas rempli son message.

Le Koran, V, 71.

Qu'êtes-vous allés voir au désert ? Un roseau secoué par le vent ? — Mais qu'êtes-vous donc allés voir ? Un homme couvert d'habits précieux ? — Mais qu'êtes-vous allés voir ? Un prophète ? — Oui, vous dis-je, et plus qu'un prophète...

Matthieu, XI, 7-9.

EL HADJ a paru dans le second numéro du Centaure en septembre 1897.

Maintenant que, près du soleil couchant, les minarets aimés réapparaissent, de la ville enfin regagnée ; que le peuple épuisé rit de désirs et vers elle se précipite... Allah ! ma tâche est-elle terminée ? Ce n'est plus ma voix qui les guide.

Ah ! qu'ils puissent crier d'amour ce soir au seuil de leur maison, puisque leur repos s'y retrouve ! — je veux m'attarder au désert. Mon secret je l'ai tu durant les jours et les nuits ; j'ai porté sans appui le fardeau de mon épouvantable mensonge, et j'ai fait semblant jusqu'au bout ; de peur que, ne cherchant un but en vain à notre longue errance, n'en trouvant point ils ne s'abandonnassent aux douleurs et ne pussent plus avancer.

Maintenant, parlons ! je suis seul. Mais de désespoir que crierai-je ?

Car je sais maintenant qu'il y a des prophètes, cachant pendant le jour aux peuples qu'ils conduisent l'inquiétude, hélas ! et l'égarement de leur âme, simulant leur ferveur passée pour dissimuler qu'elle est morte — qui sanglotent quand vient la nuit, quand ils se retrouvent tout seuls — et ne sont éclairés plus qu'à peine par les étoiles innombrées et par la trop lointaine Idée, peut-être — à qui pourtant ils ont cessé de croire.

Mais vous, prince, vous êtes bien mort ; moi-même je vous ai couché dans la mobilité des sables ; le vent a soufflé ; les sables ont coulé comme les vagues des grands fleuves ; et qui sait à présent le lieu de votre errante sépulture ? — Est-ce vous qui meniez votre peuple au désert ? Ou étiez-vous mené vous-même par quelque autre ? Qu'avez-vous rencontré dans la plaine ? — Il n'y a rien. N'est-ce pas que vous n'avez rien vu dans la plaine ? Mais vous alliez plus loin sans la mort. — Prince, j'ai ramené le peuple de la plaine.

Certes je ne me croyais pas prophète, d'abord ; je ne me sentais pas né pour cela. Je n'étais qu'un conteur des places, El Hadj, et l'on m'a pris parce que je savais des chansons. On m'a dit que j'avais ce signe sur le dos, par quoi Dieu marque ses apôtres ; mais je n'en étais pas averti ; je n'aurais point sinon quitté la ville ; par peur de Dieu, je ne les aurais point suivis. Mais pouvais-je supposer mon histoire ? Prophète ; c'est aux autres seuls que j'ai prédit. — On partait en troupe pressée, on ne savait ni pour quoi, ni pour où. Ils me payèrent afin de les distraire ; ainsi je me joignis à eux ; je leur chantais des chants d'amour dans l'ennui de la longue route et pleurais avec eux les femmes que nous n'avions pas emmenées ; ainsi je me fis aimer d'eux. Nous avancions vers le désert. Devant nous cheminait le prince, porté sur une litière fermée; nul de nous ne pouvait le voir. La nuit il dormait seul sous sa tente et nul de nous n'en approchait; des esclaves muets en protégeaient la solitude. Comment nous traînait-il à sa suite? C'était une mystérieuse dépendance; on eût dit que sa décision s'imposait immédiatement sur nous tous. Car nul ne transmettait de lui nul ordre; nous n'avions d'autres chefs que lui et qui gardait toujours le silence; ou peut-être parlait-il à ses porteurs, mais sa voix ne nous était jamais parvenue. De sorte que tous semblions suivre lui qui ne paraissait pas guider. Mais c'était une chose étrange, et je m'en étonnai dès lors, que notre marche semblât prévue et la route déjà précisée, comme si, passant avant nous, d'autres l'avaient déjà tracée. Nous n'étonnions rien sur la route, et dans les villes approchées, tant aisément l'on nous trouvait des vivres et tant l'on nous admirait peu, il semblait que l'attente de nous, nous avait déjà précédés. Pourtant l'on voyait bien que nous n'étions pas de ces caravanes marchandes qui repassent de ville en ville et que l'on a coutume de recevoir. L'on nous eût pris plutôt pour une troupe belliqueuse, si nous avions porté plus d'armes — mais même avant d'avoir compris notre intention pacifique, de loin encore, aucun ne s'effrayait.

Sitôt quitté les états du prince, par façon, nous ne campâmes plus dans les villes, mais au pied de leurs murs et du côté de l'orient. Quand la ville était entourée d'oasis nous n'entrions plus sous les arbres sitôt que la nuit approchait. Il y régnait une fraîcheur pernicieuse ; nous campions à la limite des jardins, et notre âme s'accoutumait à n'avoir devant soi qu'une interminable étendue.

Parfois dans ces jardins, avant la fin du jour, je marchais, accompagnant nos envoyés chercher des provisions sur les places, où à peine si les vendeurs nous questionnaient ; d'ailleurs nous cessâmes bientôt de comprendre aisément leur langue ; c'était la nôtre encore, mais trop différemment prononcée. Et qu'eussions-nous pu leur répondre ? Sinon que nous venions d'une capitale du Sud, et que, par notre longue marche vers le Nord nous voyions chaque jour le pays devenir plus désert. Parfois, plus pour les nôtres que pour ces étrangers qui me comprenaient mal et que pour les petits enfants qui, lorsque notre camp n'était pas trop distant de leur ville, nous y suivaient et restaient dans le soir, silencieux ou chuchotant autour de nos feux de broussailles, mais que ni notre appareil de voyage, ni les étoffes richement brodées pendant au cou des dromadaires ne paraissaient étonner beaucoup plus que pour s'en assurer du bout des doigts, — je chantais et prolongeais mon chant dans la nuit jusqu'à l'approche du sommeil :

La ville que nous avons quittée,
Est, était riche, grande et belle.

Si nous ne l'avions pas quittée,
Nous ne l'eussions jamais nommée,
Car nous n'en connaissions point d'autres.
Maintenant nous l'appellerons Bâb-el-Khoûr,
Pour pouvoir en parler entre nous,
Et pour en porter le renom
Avec nous à travers les terres.
Notre ville est plus belle
Que toutes celles que nous avons traversées.
J'y sais des cafés où l'on cause le soir,
Et où dansent de belles femmes.
Les femmes que nous avons laissées
Pleurent d'amour à nous attendre.
Chacun de nous en a plusieurs,
Et la moindre est encore très belle.
Hors de la ville il y a du maïs et du blé;
La terre est riche en céréales.
Notre prince est puissant entre tous les princes;
Personne ne peut l'approcher;
Nul n'a jamais vu son visage.
Ah! bienheureuse l'épousée
Qui pourra contempler sa face.
D'assez riche pour lui, qu'aura-t-elle?
Quel parfum mouillera ses cheveux?
Où l'attend-elle pour des fêtes?
Là nous irons.
Elle languit d'ennui dans l'attente
Au bord des eaux dans de vastes jardins.
Nul ne pourra la voir que le Prince,
Mais le soir des noces il y aura pour nous
Du lait de palmes en abondance
Et du vin doux.

Ainsi, devant les autres, chantions-nous les louanges de notre ville, par vanité — et nous prédisions-nous des destinées fastueuses pour ne pas être méprisés. Mais dans la nuit, quand nous avaient laissés tous les autres, nous n'avions plus cette assurance et nous disions : Certes, il est vrai que notre ville est grande et belle, celle que nous avons quittée ; mais depuis fut longue la route et, quant au reste, qu'en savons-nous ? Il faut suivre le prince, sans doute ; mais jusques à quand ? et jusqu'où ? — pour quoi faire est-ce qu'il nous mène ? Sans doute le prince le sait ; mais à qui parlerait le prince ?

Et bien qu'à leur triste question ils n'espérassent pas de réponse :

— A moi, leur dis-je, il parlera.

— Comment ferais-tu ? dirent-ils ; on ne le laisse pas approcher.

— Sachons attendre, répondis-je. Celui qui marche dans la nuit, peut pendant le jour goûter l'ombre.

Et moi-même en disant cela j'espérais.

Le lendemain, tandis que nous avancions dans la plaine et que les dernières ombres disparaissaient, je pensais : que me sert de chanter, si je ne chante pas pour le prince ? — Cette nuit, non loin de sa tente, j'irai ; eux tous fatigués dormiront ; le prince qui n'a pas peiné doit peu dormir ; il m'entendra, et je chanterai si suavement qu'il voudra de nouveau m'entendre. A cela durant tout le jour je songeai ; une ferveur soutint ma marche, et le désir de cette nuit me la faisait lente à venir, que j'allais emplir de mon chant.

Quand vint la nuit :

— O nuit ! chantai-je — et dans le camp tout se taisait. La tente du prince hors du camp, faisait un isolé promontoire, puis le vaste désert s'étendait.

— O nuit ! — et je rompais mon chant de pauses, comme si du vent l'emportait qui ferait regretter au prince de ne l'entendre pas tout entier...

— Une tente sur le désert.

Une falouque sur les flots !

Mais des sables, El Hadj, que dirais-je ?... et je citais mon nom de pèlerin, pensant, ce qui ne manqua pas d'arriver, que le prince s'en souviendrait, ensuite, et pourrait me faire appeler. Puis, comme alors la grosse lune se décomposait en silence et que, pris d'angoisse à la voir, j'admirais ce qu'après la chaleur du jour les sables conservaient encore de lumière qui les faisait paraître azurés, je chantai :

Ils sont plus bleus que les flots de la mer.
Ils étaient plus lumineux que le ciel...

Et tout à coup, comme quelqu'un qui se lamente, je criai :

Depuis combien de jours as-tu dit : voici que les collines du pays s'éloignent et que nous n'avons plus, pour soutenir nos fidélités que de trop lointains souvenirs ? Depuis, qu'avons-nous vu dans la plaine ? La plaine, El Hadj ! que raconteras-tu de la plaine ? Il n'y a rien. N'est-ce pas que tu n'as rien vu dans la plaine ?

— J'ai vu des fleuves, des grands fleuves, disparaître entiers dans le sable ; ils ne s'y jetaient pas, je suppose ; ils s'y enfonçaient lentement ; ils y disparaissaient, comme des espérances. — Parfois ils reparaissaient plus loin ; ils ne surgissaient pas, je suppose ; ils ressortaient simplement du sable en une eau plus fine et filtrée, reparaissaient comme des espérances. Plus loin, il n'y avait plus que du sable ; on ne savait même plus ce qu'eux ils étaient devenus. — Fleuves, grands fleuves, ce n'est pas vous que nous sommes venus voir.

Dites ! qu'avez-vous vu dans la plaine ?
La caravane immense y a passé.
Qu'est-ce qu'elle aura vu sur le sable ?
Des os blanchis ; des coquilles vidées ;
Des traces ; des traces ; des traces,
Que le vent du désert effaçait.
L'immense vent du désert a passé.
Ah ! qu'avez-vous été voir dans la plaine ?
Est-ce un roseau tourmenté par le vent ?
Mais qu'avez-vous été voir dans la plaine ?
N'avez-vous donc rien été voir ?...

Quand le jour revint, je craignis qu'à cause de mon chant ne m'importunassent les autres ; mais ils ne l'avaient même pas entendu.

Nous avançâmes dans le désert.

Quand la nuit revint, je m'approchai de nouveau de la tente et quand au-dessus du désert surgit la lune cramoisie :

— O nuit ! grande nuit !... m'écriai-je ; puis je repris beaucoup plus bas :

— Comme une barque sur les flots, prince, une tente te promène. Elle te promène jusqu'où ? — Et puisque cette nuit j'avais pris ma viole, de pause en pause j'en simulais une réponse aux questions.

— Au soleil, devant nous, morne plaine, t'es-tu suffisamment pâmée ?

Désert ! Quand vient la nuit, ne t'arrêtes-tu toujours pas ?

Oh ! si le vent m'emportait sur ses ailes, à l'autre bord de cette mer embrasée.

Oh ! que ce soit où la saignante lune, berger du ciel, avant de paître va se laver.

Au bord des eaux, dans de vastes jardins, comme une amante au soir des noces, elle se pare ; elle se regarde dans l'eau.

L'amant attend le soir des noces, prince, au bord des sources cachées. —

Ainsi s'enhardissaient mes paroles presque jusqu'à l'affirmative ; et pourtant, pourtant qu'en savais-je ? était-ce là prophétiser ?... et je chantais avec l'accent toujours plus tendre, plus pathétique ou plus lassé :

— Prince ? où finira ce voyage ?

Est-ce dans le repos de la mort ?

Sans doute il est d'autres jardins dans le Nord,
Sous le ciel doux, où s'étiolent les palmes.
A quoi songes-tu ? prince, est-ce que tu dors ?
Prince ! quand jamais te verrai-je ? afin qu'à quels petits enfants, puissé-je, et dans combien de soirs, répondre : — Oui c'était cela, lorsqu'ils me demanderont : El Hadj ! El Hadj ! que t'a-t-on mené voir dans la plaine ? Est-ce un prince couvert de vêtements somptueux ?

Prince ! toute mon âme soupire ; mon âme languit après toi...

Et de lui peu à peu je me sentais m'éprendre au gré même de mes paroles, de sorte que, dans la troisième nuit, quand, dès mon chant, je le vis sortir de sa tente, à la clarté du ciel, couvert de vêtements somptueux, mais la face cachée d'un voile — et, comme encore je demandais et pensais demander en vain : Prince ! qu'êtes-vous allé voir au désert ? — lorsque, d'une voix plus subtile qu'aucun chant que j'eusse entendu, je l'ouïs inespérément me répondre :

— Un prophète — et plus qu'un prophète — El Hadj ! bon pèlerin, c'est toi ! demain tu viendras dans ma tente, — je me tus et jusqu'à l'aurore sanglotai d'amour dans la nuit.

Mais le lendemain, le désert se couvrit de mirages ; depuis longtemps les oasis avaient cessé ; à peine, où de l'eau croupissait, montait un maigre bois de palmes, par le mirage foisonné tellement qu'il apparaissait de loin comme une oasis merveilleuse. Et rien je vous assure — villes hautes, palmes et eaux — n'était pour nous, Allah ! plus décevant que ces mirages. Parfois, dès l'aube, nous marchions vers eux, et jusqu'au soir, pour nous désoler de les voir, d'abord lentement écartés, dans l'effacement du soleil, se dissoudre. — Ainsi de vertus en vertus marcherons-nous, El Hadj, jusqu'à la mort, dans l'espérance, et nous soutiendrons-nous jusqu'au bout par la vision miragineuse d'on ne sait quelle félicité — comme qui, pour s'y endormir, préparerait assidûment un rêve à son irrévocable sommeil. — O prince mort ! dans ton sommeil sans visions, as-tu toujours soif d'eau des sources ? — O visions du paradis ! heureux celui chez qui, seule la noire mort peut vous éteindre. Allah ! vous êtes seul véritable. — Je sais bien qu'il en est qui disent que ce ne sont point là des irréalités, et que les objets sont ailleurs, et qu'on finira bien par trouver, — dont voici la flottante apparence, d'eux par trop de chaleur détachée, — qui se propose, plus voisine, fallacieusement à nos prises. Mais puisque nous ne pouvions la saisir, Allah ! pourquoi la proposer ? — Et nous nous déconcertions au matin, quand devant nous l'horizon paraissait se franger, — et même le passé ne nous paraissait plus avoir d'inévitable certitude, tant, lorsqu'on se retournait vers le soleil, tout semblait fondre et presque se fluidifier. — Mais ce que j'admire à présent, ce qui m'emplit de patience, c'est de songer, ah ! pauvre peuple ! qu'elle était grande ta confiance ! d'où naquit ma compassion... Car enfin que connaissait-il de ce qu'on attendait de lui ? et qu'en attendait-il lui-même ? — Il leur suffisait, pour marcher, de croire que c'était vers un but, et que le prince au moins le connaissant, les menait avec assurance. Combien docilement ils suivaient sans savoir ; — car de ce que le prince me dit, je ne crus rien pouvoir leur révéler ; d'ailleurs il n'auraient pas compris. Et quelle certitude d'ailleurs avait-il, lui-même, de l'avenir dont il parlait ? S'il croyait maintenant à ces noces, n'était-ce pas depuis qu'il m'avait entendu les chanter ? Mais il parlait alors d'une manière si douce, si crédule et si assurée, de l'enfant qui devait en naître et porterait son nom rajeuni, ce nom que nul n'a pu connaître et par qui tout le peuple serait gagné ; il en parlait avec une assurance si grave que, malgré le passé et à cause de mon incompréhension même, j'y croyais.

— El Hadj ! alors me disait-il, il te faut, comprends, croire à moi de toutes tes forces ; l'avenir a besoin de cela pour arriver.

— Prince, à force d'amour, je t'ai cru.

— Chante, El Hadj ! chante maintenant les jardins où m'attend l'amante — mais d'elle ne me parle pas.

Songeant à la monomorphie des palmes : pour faire rêver l'habitant du désert, me disais-je, il faut parler des nombreuses ramures du Nord et des troncs variés des arbres ; et je chantais les profondes forêts, les ravins, l'odeur des feuilles et des mousses, les brumes du matin, du soir, la fraîcheur de la nuit, l'aménité du jour et sur les prés l'humidité délicieuse. Le prince m'écoutait lentement. Je disais les travaux plus aisés ; la volupté plus souriante ; l'azur plus clair, l'air moins brûlant, la nuit moins enflammée.

— Y serons-nous bientôt ? demandait-il.

— Nous y serons bientôt, répondais-je.

— Chante encore, El Hadj bien-aimé !

— Là-bas, chantais-je, coulent des eaux non plus salées. Ah ! que seront doux à nos pieds les cailloux glacés des rivières...

A chanter, la moitié de la nuit se passait.

Je ne sais si mon chant donnait de l'assurance au prince, mais moi j'en étais extraordinairement fortifié. Ce que je chantais devenait ; après l'avoir chanté j'y croyais. Devant le peuple, le plus souvent je m'enveloppais de silence ; il suffisait qu'il crût que le prince guidait. Et quand je parlais, je disais .

— Le prince vous mène ; il sait où il lui plaît d'aller. Mais de cela que vous dirais-je ? Que suis-je devant lui, moi-même ? Devant vous, il est vrai, prophète ; devant le prince, un serviteur. Et je me prosternais vers sa tente en exemple de soumission.

Cependant chaque après-midi devenait un peu plus accablante. Quand les mirages n'y germaient pas, on ne voyait exactement devant soi que les sables roux de la plaine qui se levaient en dunes par instants. Pour occuper, j'imaginais des pratiques plus rigoureuses et de singulières privations.

A peine dans le camp avions-nous emmené quelques femmes, mais je fixai des heures pour les toucher; pourtant ils n'avaient point comme moi le cœur rempli d'amour pour le prince. Devant eux je montrais de la suffisance et pour qu'ils ne m'interrogent plus, je n'affirmais que des choses incohérentes : aux soumis des promesses de récompense, aux révoltés des menaces de châtiment. Puis je m'en retournais près de la tente où le prince ne me laissait entrer que le soir — et jusqu'au soir je sentais se défaire mon assurance, qui près du prince renaissait. — Mais je ne sais comment, lorsque j'avais faibli pendant le jour, au soir le prince le savait.

— El Hadj ! disait-il alors d'une voix toujours amoindrie, c'est en ta foi que je repose; en ta croyance en moi je puise la certitude de ma vie.

Je ne comprenais pas alors, mais, après chaque jour de doute, au soir je le trouvais un peu plus affaibli. Hélas ! et c'est pourquoi chaque matin ma foi s'en réveillait plus faible; puis, quand auprès de lui toute la nuit je refusais ma confiance, lui n'était point par là fortifié.

— El Hadj ! disait-il alors, douteux prophète ! comme ton amour est petit ! Vaut-il la peine que j'en vive ?

— Oh ! répondais-je, je vous aime, prince, autant que je peux vous aimer. C'est à midi que tout chancelle; la nuit je m'assieds près de vous et me consume de ferveur. Que ne suis-je sous votre tente tout le jour ? nous nous consolerions longuement ; durant le jour aussi je vous aime ; j'attends la nuit et pleure que vous ne m'apparaissiez pas. Que ne vous laissez-vous mieux connaître ? Je ne souhaite connaître que vous. Ah ! si je pouvais voir ton visage, prince, j'en serais tout fortifié. — Alors le prince me prit la main, et j'en fus atrocement troublé... Ma tendresse en fut augmentée, mais ma confiance navrée — tant cette main brûlait de fièvre.

Le lendemain entre les marches du long du jour, près de sa tente encore déployée, espérant qu'il m'entendrait, je chantais :

Ma tente vogue sur le désert
Comme sur une mer embrasée.
Portes de toile, que le vent vous soulève !
Portes de ma tente, vous êtes de lumière pénétrées.
Soulevez-vous, portes de toile
Et laissez entrer mon désir.

Mais à peine si le vent faisait claquer la toile comme la voile d'un navire. Le prince dormait tout le jour et ne m'entendait pas chanter. Alors je reprenais d'une façon plus murmurée :

Mon doux ami dort sous la tente.
C'est pour qu'il dorme que je veille.
Quand je suis seul c'est que j'attends mon ami.
Je ne vais à lui que le soir.
C'est maintenant l'heure de tous les feux du Midi ;
Toute la terre flétrit de soif et de crainte et d'attente ;
C'est l'heure où la volonté des hommes vaillants s'épouvante,

Où la pensée des sages se déconcerte,
Où la vertu des purs s'altère, —
Tant la soif est désir d'amour
Et l'amour est soif de toucher, —
Où tout ce qui n'est pas de feu
Sous cette ardeur se décolore.

Il en est qui, le soir venu, n'ont plus retrouvé leur courage
et que tant de chaleur a lassés;
Il en est qui, le long du désert, ont cherché, toute la nuit après,
en vain leur pensée égarée; —

A cause de mon ami
J'attends la douce nuit sans crainte.
Quand le soir vient, mon ami se réveille;
Je vais à lui; nous nous consolons longuement.
Il promène mes yeux dans les jardins des étoiles.
Je lui parle des grands arbres du Nord
Et des froids bassins où la lune,
Berger du ciel, comme une amante, va se laver;
Il m'explique que les seules choses périssables
Ont inventé les seules paroles
Et que celles qui ne doivent point périr
Se taisent toujours, ayant tout le temps pour parler —
Et que leur éternité les raconte.

Comprenant à peine pourquoi, je m'effrayais, ainsi chantant à cause du silence même du désert, de ces étranges paroles du prince, que je rapportais dans mon chant.

Cette nuit, quand, sous la tente à peine éclairée, je le revis, il était las :

— Prince, lui dis-je, il faut un gage d'alliance, de ton alliance avec moi; qu'à défaut de toi je possède et dans le cours du jour je puisse regarder.

— Comment, répondait-il, El Hadj, ne comprends-tu pas que toi-même es gage d'alliance entre le peuple et moi ? et qu'entre toi et moi il ne peut y avoir aucun signe, puisque à toi je ne suis point caché ? Que veux-tu d'autre, que moi-même ? Tu t'occupes de moi, je le sais, mais pas suffisamment de ton peuple ; et pourtant lui ne connaît de moi que toi-même ; c'est par ta face que je parais devant lui et par ta voix que je lui parle. Tu ne lui parles pas assez ; comment dès lors veux-tu qu'il m'aime ? — Puis, presque tristement me parut-il, et d'une voix un peu changée il ajouta : — Certes je te montrerai mon visage ; mais à le voir ton amour ne sera pas rassasié. — Et, sorti de son lit, chancelant comme un convalescent très faible, il souleva la toile de la tente et devant la face pâle des cieux découvrit son pâle visage. Il était beau d'une beauté surnaturelle, et semblait d'une autre race que nous, — mais pâle inexprimablement et d'expression si lassée que voici que ma foi s'en allait disparaître, tandis que je sentais en son lieu un amour tout humain m'envahir. Et je restais devant lui sans geste et sans parole, jusqu'à ce que tombant à ses pieds... je saisis de mes bras ses genoux frêles, puis pensai m'évanouir de tendresse, de doute et de désolation en sentant sur mon front trop brûlant sa main trop tiède se poser.

Ce fut le lendemain, au soir, qu'après la longue marche, une suprême dune ayant été franchie, apparut devant nos désirs hors d'haleine, d'un lac ou d'une mer la plaine doucement azurée. Alors, dans tout le peuple, les cris délirants des premiers faisant se hâter tous les autres, ce fut un mouvement sans nom; comme si la vue d'une très prochaine fraîcheur, assouvissant déjà leur âme en espérance, suffisait pour un soir à les désaltérer; — prosternés ainsi qu'en prière, ils criaient vers les eaux, et leur soif, à se sentir bientôt devoir être étanchée, en devenait voluptueuse. C'étaient des chants, des cris d'une sensualité reconnaissante et délivrée; d'autres dansaient. Aucun ne songeait plus à avancer; comme si suffisaient des promesses au lieu des satisfactions; comme si jamais soif avait pu s'étancher d'eau salée, l'amour de visions, ou d'illusions l'espérance. — A peine une lieue nous séparait encore du rivage, mais après notre immense fatigue cette immense joie les brisait. Certainement, de son lit fermé qui précédait toujours la marche, le prince entendit les cris délirants de son peuple. Les porteurs, au versant de la dune, s'arrêtèrent et la tente royale fut dressée. Le soleil déclinait vers un soulèvement de brume ou de poussière que son rayonnement oblique rougissait; l'horizon derrière la mer se fondait en une adorable dorure; un instant au reflet du ciel les eaux parurent embrasées, puis brusquement, l'astre disparu, la nuit vint complète et fermée.

Je savais que parfois les marées sur un sol plan peuvent beaucoup s'étendre et que dangereuses souvent sont les plages des mers inconnues — et donc j'étais heureux que nous nous arrêtassions là, encore loin et haut sur la colline. Le camp se forma ; les feux du soir brillèrent. La tente du prince, presque inéclairée, était avant le camp comme un isolé promontoire ; la mer semblait avoir empli la nuit. — Je m'approchai de la tente du prince.

Il était debout, penché hors de la tente, soulevant la porte de toile ; il était sans voile sur sa face et ses yeux cherchaient dans la nuit. Lorsqu'il me vit :

— Je ne vois point la mer, dit-il, El Hadj ! — Il parlait mystérieusement ; à l'entendre prononcer mon nom, je trouvais une presque amoureuse douceur.

— C'est que la nuit est close, répondis-je ; bientôt la lune paraîtra.

— Je n'entends point la mer, El Hadj.

— Ah ! prince, c'est qu'elle est très calme et c'est que nous en sommes trop loin.

— El Hadj ! reprit-il lentement, c'est sur l'autre bord de cette eau que mes noces sont préparées et que grandit pour nous l'attente. El Hadj ! malgré la nuit, dans la nuit, où personne ne puisse te voir, il faut que vers la mer tu descendes ; la lune se lèvera quand tu parviendras sur la rive ; regarde si l'on voit l'autre bord ; ce que l'on voit sur l'autre bord ; si l'on distingue enfin les arbres, les grands arbres dont tu me parles dans tes chants. Va, mon El Hadj ! El Hadj bien-aimé, vas-y vite, puis recours aussitôt vers moi.

Je partis ; j'allai, malgré ma lassitude. Je descendis les pentes de la dune et me sentis bientôt lourdement enveloppé par la nuit. M'étant retourné vers le camp je n'en vis plus aucune flamme ; un brouillard presque opaque me les cachait, dans lequel je pénétrais plus avant tandis que je descendais vers la plage. J'avais confiance en la lune pour guider mes pas au retour. J'étais las ; las au point d'en oublier mon espérance. Je m'étonnai, je m'en souviens, de l'odeur trop fade de l'air ; l'humidité qui le chargeait n'était point, comme il eût fallu, âpre de la salure marine, mais rappelait plutôt les exhalaisons des marais. Et soudain, devant moi qui marchais, cette vapeur frémit, chancela, s'argenta, s'ouvrit, et, comme un pâtre aux bergeries, s'occupa gravement la lune.

Elle flottait au-dessus d'une plaine d'une quiétude inconnue. J'étais au bord d'un étendu mystère où ne remuait pas un flot, mais sur quoi riait et brillait la belle image de la lune, indéfiniment élargie. Le terrain cessait sans secousse ; le sable plat se prolongeait simplement en autre chose, qui reflétait la solitude, et que je comprenais ne pas être de l'eau. J'avançai ; j'entrai ; c'était comme dans une matière incréée, ni tout à fait solide ni tout à fait liquide, mobile sous mon pied, sinon tranquille, mais comme imparfaitement figée. A ma gauche un élan de sable y gagnait, persistait, mince promontoire où des joncs débiles croissaient. J'y marchai... après, ce n'était plus, non, ni de la terre ni de l'eau... une espèce de limon, de vase, qu'une mince croûte de sel recouvrait, qu'argentait faiblement la lune. Je voulus m'avancer encore; cette croûte fragile crevait; j'enfonçai dans une abominable fange molle. M'accrochant aux joncs, à genoux ou couché, je revins reposer sur le sable. Je m'y assis; je regardai; mon étonnement était si grand devant cette mer désolée, de boue dissimulée sous le sel, où mon poids avait fait un trou — que je ne sentais plus en moi, plus même ma désespérance. Accablé de lassitude et de stupeur, je regardais la lune sereine, au-dessus de la claire étendue, qui semblait rire et qui brillait sur cette morne plaine insondée, plus morne encore que le désert.

Et maintenant, voici que la lune plus haute, éclairant plus fort l'horizon, montrait de l'autre côté de la mer une autre rive non lointaine; et il semblait que de grands arbres s'y penchassent... Mais le sable où j'étais assis fléchissait; je dus quitter le promontoire, revenir en arrière, à la berge où cette mer finissait. Là je me couchai contre terre, et sentis maintenant si complètement ma solitude et l'environ de cette immensité... et cette mer, pour être étroite, me disais-je, n'en serait pas plus franchissable... et toute ma vertu soudain m'abandonna; elle ne s'enfuyait pas, je suppose; elle disparaissait comme de l'eau qui se perd dans le sable ; elle disparaissait complètement. Soudain je me sentis sans courage et quelqu'un que sa foi a complètement abandonné. Il me semblait que m'envahît, qu'en moi s'étendît, s'ouvrît une désolation sans larmes, plus vaste encore et aussi morne que le désert.

J'étais trop las pour regagner aussitôt les tentes, et qu'eussé-je pu dire au prince ? Et, malgré tout, l'éclat de cette nuit était si pur, si délectable, que mon esprit désemparé s'y complaisait. Pourtant, ivre de nuit avant l'aube, pour n'en point rencontrer déjà qui, descendant du camp vers la mer et s'apercevant qu'elle est fausse, importunassent ma douleur par de piètres lamentations, dès que je vis la nuit enfin dolente chavirer sur la dune où la blancheur naissait, je me remis en route vers les tentes.

Clartés naissant de tous côtés du ciel ! O ! genoux fléchissants, mains tendues, inquiète étreinte de l'ombre... Prophète, je le suis, c'est moi. — Prince ! à ton peuple j'ai su parler dès que toi tu n'as plus rien pu dire. Ah ! longues marches dans le désert ? attentes d'on ne sait plus quoi ; genoux rompus ; soif augmentée ; fuite des heures sans surprises ; langueur des nuits ; longueur des jours ; oasis au soir défaillantes. — Arbres du Nord ; rameaux vaguement désirés ; ah ! promontoires ! promontoires lancés vers le ciel, où l'on s'avance, où l'on s'avance ; après lesquels on ne peut plus... Blancheurs de lune sur les tentes ! nuit finie ; clartés naissant de tous côtés du ciel... Puis, ô ! porte de toile soulevée ; mystérieuse tente où j'entrai ! Porte de toile retombée, comme sur un secret se reclôt du silence ; couche où je me penchai, qu'une mourante flamme éclairait ; couche horriblement creuse et qui semblait vidée, où le prince gisait sans vie.

Prince, tu t'es trompé ; je te hais. Car je n'étais pas né prophète ; c'est par ta mort que je le suis devenu ; c'est parce que tu ne parlais plus, que moi j'ai dû parler au peuple... Peuples abandonnés dans le désert, c'est sur vous seulement que je pleure. — Toi, prince disparu, que je te haïsse, le sais-je ?... mais je languis d'ennui, de faim, de lassitude, pour t'avoir tellement aimé ; et le souvenir de tes nuits me fait sentir plus désolée ma solitude.

Je n'aimais point le peuple jusqu'alors, mais dès lors j'eus pitié de lui. L'aimais-tu ? Pour quel bien est-ce donc que tu le menais loin des villes ? Car le bruit de tes noces n'a pas retenti jusqu'à nous. Nous n'avons pas entendu les chants de flûtes et les cymbales. Mes oreilles sont pleines d'attente. Où se sont-elles célébrées que déjà leur rumeur soit éteinte ? Prince, je ne le dirai pas... nul ne sait que c'est dans la mort qu'elles sont si silencieuses.

Prince j'ai dû tromper le peuple, parce que tu l'avais déjà trompé et parce que je connaissais et que j'avais pris en pitié ton mensonge. Prince, j'ai prolongé ta misère, jusqu'à par delà ta mort. J'ai redéfait toute ta route. Tu menais le peuple au désert ; je l'ai ramené vers la ville ; je l'ai guidé vers les rassasiements, en rémunération des faims qu'au long des sables d'aridité, pâtre indolent, tu nous fis paître...

Le petit matin frémissait ; c'était l'heure où, les autres jours, j'avais coutume de quitter le prince. Je sortis de la tente, les yeux secs, et le visage composé. Nul encore n'était descendu vers la plage. Je voulus préparer leur prochain désespoir ; donner pour châtiment leur déboire effroyable lorsqu'ils approcheraient de la mer : inventer donc une certaine faute ; tendre au peuple comme l'occasion d'un péché qui motivât ce châtiment — de sorte qu'ils pussent considérer comme un peu méritée leur histoire, et, par cela, sinon s'en attrister moins, du moins m'en devenir soumis et me craindre. Moi que n'avait mené que l'amour, je ne les pouvais ramener que par la crainte. Et donc, malgré l'impatience de leur soif, ou mieux à cause d'elle, je leur dis :

— Le prince met vos fidélités à l'épreuve. Il n'entend pas descendre après vous vers la plage tant attendue. Ne suis-je pas le premier ? a-t-il dit ; ne dois-je pas le premier m'y laver, m'y baigner et y boire ? Malheur à qui descendrait vers la mer avant moi ; il paierait cruellement cet outrage, et ne serait pas seul châtié. Lorsqu'il n'y en aurait qu'un à pécher, vous tous supporteriez la récompense de sa faute. Car mon courroux dépassera toute attente et semblera déborder le péché. J'ai besoin, m'a-t-il dit, que le peuple me craigne et j'espère de lui la soumission complète; or, cette faute me serait signe, même commise par un seul, comme d'une complète insoumission. Mais écoutez : mon intention n'est pas de descendre aujourd'hui sur la plage, ni demain, mais seulement le matin après le second jour; et c'est en cela que consistera l'épreuve : malgré votre soif, attendez. Il faut, avant de s'approcher de l'eau, élever un autel à Dieu, en signe d'action de grâces, et pour y pouvoir sacrifier. C'est à quoi vous emploierez ces deux jours. Vous élèverez cet autel à une très petite distance de la plage, sans vous inquiéter que ce soit sur du sable mouvant. Vous trouverez du gypse pour du plâtre et au pied de, la dune des blocs de sable conglutiné. Vous creuserez l'autel, dessous, comme une cave. Allez. Je veux que tous y travaillent. J'ai hâte de pouvoir sacrifier.

Dans l'ennui des deux jours et malgré la contrainte, le travail avança rapidement. Je ne sais si peut-être déjà quelqu'un d'eux avait secrètement enfreint mon ordre. Cela n'importait point. Quand tous obéiraient, pensais-je, la mer n'en serait pas moins telle. On en pouvait toujours supposer un, pécheur, pour qui les autres pâtiraient, tous ne pouvant savoir ce qu'un seul d'entre eux aurait fait.

Dans l'ennui des deux jours la mer fut azurée; l'autre rive se révélait vaguement et se couronnait de mirages que le cours des heures variait. Je restais auprès de la tente du prince pour faciliter leur péché. La nuit, je descendais jusqu'à la plage dont je connaissais la traîtrise. Je m'asseyais non loin du bord, uniquement épris de regarder. La lune se levait, plus pleine que la veille; moins étonné je la pouvais mieux contempler. Il semblait que le silence était là, vraiment et chose réelle, et que c'était mon adoration. Car je ne savais pas, auparavant, qu'une nuit pût être si belle; et je sentais en moi, plus profondément que je n'eusse pensé trouver profondeur en moi-même, un autre amour, plus fervent mille fois, plus doux, plus reposé que l'amour que j'avais pour le prince, et auquel il semblait que cet immense calme répondît.

De sorte que, plus pacifique encore, cette nuit la troisième, lorsque la lune vint éclairer mes pas vers la berge, lorsque, pèlerin fatigué, comme un voleur de nuit j'eus porté, j'eus traîné par le pan du manteau qui revenait sur son visage, le prince, dont j'aurais pu voir la nudité, maintenant, mais cadavre et qui ne valait plus qu'on y pensât, lorsque je l'eus posé sous l'autel où le lendemain par pénitence dérisoire tout le peuple sacrifierait — quand je l'eus étendu dans cette cave étroite que j'avais fait creuser pour cela... alors, de l'amour de mon âme enfin désolément délivré, seul dans la nuit je pus crier ma joie et, repoussant le passé mort, laisser chanter mon espérance. Je ne me doutais pas, auparavant, de combien j'étais las de ce pèlerinage; mais ce soir, m'avançant une dernière fois sur la plage, je contemplai sans plus de frayeur cette mer — après tout pour celui-là seul effrayante qui croyait la devoir traverser — et je la vis alors si belle que je sentis ma foi de la veille très lentement se déplacer ; mon adoration toujours vive, mais, depuis que le prince était mort, éperdue, s'élargir puissamment jusqu'aux limites mêmes de l'infini désert ; et, parce que mon âme plus grave se pénétrait de majesté, je croyais que c'était le bonheur.

Maintenant que je crois qu'il est impossible, je doute si je parvins vraiment au bonheur. Je me souviens que je voulus chanter, que je ne pus, puisque ce n'était plus pour personne, de sorte qu'en moi-même et seulement je disais, et redisais sans plus comprendre ma pensée : Prince ! qui donc est mort ? D'où vient que je suis si vivant ?

Joie ? peut-être ; je ne comprenais pas alors combien, en l'instant même, lui triomphait ; car il n'était mort que pour moi et qui précisément seul l'aimais. Devant le peuple sa litière vidée devait toujours marcher comme emplie ; je devais incessamment témoigner que je l'avais vu, et je ne parlais plus que pour rapporter ses paroles. Je ne comprenais pas d'abord de quel poids me serait cette réalité de mon mensonge, et que le prince mort, dans mon mensonge survivait. Car, à l'imaginer sans cesse, mon amour était attisé. Je ne le savais rien que mort ; je ne pouvais l'imaginer que vivant. Parfois, la nuit, dans sa tente, tout seul à présent, je dormais ; et mon sommeil sans rêves me devenait comme une représentation de sa mort ; mais parfois, à cause des autres, près de sa tente, je faisais semblant de chanter pour lui ; alors je me souvenais de nos nuits et m'attristais d'avoir vu son visage. Ma douleur s'acharnait à simuler jusqu'au bout sa présence. Comme aux vivants, on lui portait chaque jour à manger ; tout ce que je faisais pour le représenter aux autres m'aidait à constater mieux son absence. Plus je sentais qu'il eût dû être, mieux je savais qu'il n'était pas.

Et dès lors m'habita cette pensée, lassante et puissante comme un désir : certes je goûterai le bonheur de mon âme, déjà prêt, mais quand elle sera, du peuple et de l'amour et complètement, délivrée.

Maintenant le peuple m'a quitté ; il est enfin rentré dans la ville. Je l'ai ramené du désert. Il ne m'a pas aimé, parce que je prophétisais sans douceur, ayant peur de m'apitoyer ; et il n'a pas aimé le prince, car je ne lui prêtais que des paroles de rudesse. Je ne pouvais parler d'amour puisque c'était pour un mensonge. Il fallait l'imposer jusqu'au bout ; ne pas autoriser ma défaillance. Puisque je n'avais pas de force, ne devais-je pas simuler... Mais je sais maintenant, s'il y a des prophètes, que c'est parce qu'ils ont perdu leur Dieu. Car si Lui ne se taisait pas, que serviraient alors nos paroles ?

Certes aussi j'ai fait de faux miracles ; j'ai fait

jaillir l'eau du rocher ; j'ai fait douces des sources amères, et quand est venu le vol des cailles j'ai dit que c'était parce que j'avais prié. Quand Boubaker s'est soulevé je ne sais pas comment j'ai pu maîtriser sa révolte, sinon que j'agissais en désespéré. J'ai menacé. Après, plus aucun d'eux n'a douté de ma force ; il n'y avait que moi qui n'en étais pas convaincu.

Ma tâche de pâtre est finie ; mon âme est enfin délivrée. Maintenant de joie que crierai-je ? Je ne peux plus ne plus chanter que des chansons. Je ne peux plus, baigné d'amour, le soir, crier des vers au bord des places, ni plus faire danser les enfants. Je ne peux plus n'avoir rien connu que la ville ; n'avoir pas traversé le désert. — Maintenant, El Hadj, que ferai-je ? Que le prince soit mort — le sais-je ? Je me souviens des noces qui l'attendent, comme si rien de lui n'était mort... Voici, voici dans l'intérieur du palais de la Ville, je sais qu'un jeune frère du prince grandit... Attend-il que ma voix le guide ? et recommencerai-je avec lui, avec un nouveau peuple, une nouvelle histoire, que je reconnaîtrai pas à pas... ou si, comme ces esprits pleins de deuil et nourris de cendres amères, je m'en irai tout seul — comme ceux cachant un secret, qui rôdent autour des cimetières, et qui cherchent sans le trouver leur repos dans les lieux déserts.

PHILOCTÈTE

OU

LE TRAITÉ DES TROIS MORALES

à Marcel Drouin

PHILOCTÈTE n'a pas été écrit pour le théâtre. C'est un traité de morale, que je joins à ces autres traités, pour mieux montrer qu'il n'a pas de prétentions scéniques.

PHILOCTÈTE a paru dans la *Revue blanche* du 1er décembre 1898.

PREMIER ACTE

Ciel gris et bas sur une plaine de neige et de glace.

SCÈNE I

ULYSSE et NÉOPTOLÈME

NÉOPTOLÈME

Ulysse, tout est prêt. La barque est amarrée. J'ai choisi l'eau profonde, à l'abri du Nord, de peur que le vent n'y congelât la mer. Et, bien que cette île si froide semble n'être habitée que par les oiseaux des falaises, j'ai rangé la barque en un lieu que nul passant des côtes ne pût voir.

Mon âme aussi s'apprête; mon âme est prête au sacrifice. Ulysse! parle, à présent; tout est prêt. Durant quatorze jours, penché sur les rames ou sur la barre, tu n'as dit que les brutales paroles des manœuvres qui devaient nous garer des flots; devant ton silence obstiné mes questions bientôt s'arrêtèrent; je compris qu'une grande tristesse oppressait ton âme chérie, parce que tu me menais à la mort. Et je me tus aussi, sentant que toutes les paroles nous étaient trop vite emportées, par le vent, sur l'immensité de la mer. J'attendis. Je vis s'éloigner derrière nous, derrière l'horizon de la mer, la belle plage skyrienne où mon père avait combattu ; puis les îles de sable d'or ou de pierre, que j'aimais parce que je les croyais semblables à Pylos ; treize fois j'ai vu le soleil entrer dans la mer ; chaque matin il ressortait des flots plus pâles et pour monter moins haut plus lentement jusqu'à ce qu'enfin, au quatorzième matin, c'est en vain que nous l'attendîmes ; et depuis nous vivons comme hors de la nuit et du jour. Des glaces ont flotté sur la mer ; et ne pouvant plus dormir à cause de cette constante lueur pâle, les seuls mots que j'entendais de toi, c'était pour me signaler les banquises dont un coup d'aviron nous sauvait. A présent, parle, Ulysse ! mon âme est apprêtée ; et non comme les boucs de Bacchus qu'on mène au sacrifice couverts des ornements des fêtes, mais comme Iphigénie s'avança vers l'autel, simple, décente et non parée. Certes, j'eusse voulu, comme elle, pour ma patrie mourant sans plaintes, mourir au sein des Grecs, sur une terre ensoleillée, et montrer par ma mort acceptée tout mon respect des dieux et toute la beauté de mon âme ; elle est vaillante et n'a pas combattu. Il est dur de mourir sans gloire. Pourtant, ô dieux ! je suis sans amertume, ayant lentement tout quitté, les hommes, les plages au soleil... et maintenant, arrivés sur cette île inhospitalière, sans arbres, sans rayons, où la neige couvre les verdures, où toutes choses sont gelées, et sous un ciel si blanc, si gris, qu'il semble audessus de nous une autre plaine de neige étendue, loin de tout, loin de tout... il semble que ce soit là déjà la mort, et, tant ma pensée à chaque heure devenait plus froide et plus pure, la passion s'étant abandonnée, qu'il ne reste ici plus qu'au corps à mourir.

Au moins, Ulysse, dis-moi que, par mon sang fidèle, le mystérieux Zeus contenté va permettre aux Grecs la victoire ; au moins, Ulysse ! tu leur diras, dis, que pour cela je meurs sans crainte... tu leur diras...

ULYSSE

Enfant, tu ne dois pas mourir. Ne souris pas. A présent, je te parlerai. Écoute-moi sans m'interrompre. Plût aux dieux que le sacrifice de l'un de nous les contentât ! Ce que nous venons faire ici, Néoptolème, est moins aisé que de mourir...

Cette île qui te paraît déserte ne l'est point. Un Grec l'habite ; il a nom Philoctète et ton père l'aimait. Jadis il s'embarquait avec nous sur la flotte qui, pleine d'espoir et d'orgueil, quittait la Grèce pour l'Asie ; c'était l'ami d'Hercule et l'un des nobles parmi nous ; si tu n'avais vécu jusqu'ici loin du camp, tu saurais déjà son histoire. Qui n'admirait alors sa vaillance ? et qui ne la nomma plus tard témérité ? Ce fut elle qui, sur une île inconnue devant qui s'arrêtèrent nos rames, l'emporta. L'aspect des bords était étrange; les présages mauvais avaient altéré nos courages. L'ordre des dieux ayant été, nous dit Calchas, de sacrifier sur cette île, chacun de nous attendait que quelque autre voulût descendre; c'est alors que s'offrit en souriant Philoctète. Sur la plage de l'île un perfide serpent le piqua. Ce fut en souriant d'abord que Philoctète rembarqué nous montra près du pied sa petite blessure. Elle empira. Philoctète cessa bientôt de sourire; son visage pâlit, puis ses regards troublés s'emplirent d'une angoisse étonnée. Au bout de quelques jours son pied tuméfié s'alourdit; et lui, qui ne s'était jamais plaint, commença de lamentablement gémir. D'abord chacun s'empressait près de lui pour le consoler, le distraire; rien n'y pouvait; il aurait fallu le guérir; et, quand il fut prouvé que l'art de Machaon n'avait sur sa blessure aucune prise, — comme aussi bien ses cris menaçaient d'affaiblir nos courages, — le navire ayant approché d'une autre île, de celle-ci, nous l'y laissâmes, seul avec son arc et ses flèches qui vont nous occuper aujourd'hui.

NÉOPTOLÈME

Quoi! seul! vous le laissâtes, Ulysse?

ULYSSE

Eh! s'il eût dû mourir, nous eussions pu, je

crois, le garder quelque temps encore. Mais non : sa blessure n'est pas mortelle.

NÉOPTOLÈME

Mais alors ?

ULYSSE

Mais alors devions-nous soumettre la vaillance d'une armée à la détresse, aux lamentations d'un seul homme ? On voit bien que tu ne l'entendis pas !

NÉOPTOLÈME

Ses cris étaient-ils donc affreux ?

ULYSSE

Non, pas affreux : plaintifs, humectant de pitié nos âmes.

NÉOPTOLÈME

Quelqu'un ne pouvait-il du moins rester, veiller sur lui ? Malade et seul ici, que peut-il faire ?

ULYSSE

Il a son arc.

NÉOPTOLÈME

Son arc ?

ULYSSE

Oui : l'arc d'Hercule. Et puis je dois te dire,

enfant : son pied pourri exhalait par tout le navire la plus intolérable puanteur.

NÉOPTOLÈME

Ah ?

ULYSSE

Oui. Puis il était absorbé par son mal, incapable à jamais de nouveau dévouement pour la Grèce...

NÉOPTOLÈME

Tant pis. Et nous alors, Ulysse, nous venons...

ULYSSE

Écoute encore, Néoptolème : tu sais, devant Troja longuement condamnée, combien de sang versé, et de vertu, de patience et de courage ; les foyers délaissés et la chère patrie... Rien de tout cela n'a suffi. Par le prêtre Calchas, les dieux ont enfin déclaré que seuls l'arc d'Hercule et ses flèches, par une dernière vertu, permettraient la victoire à la Grèce. Voilà pourquoi tous deux partis — que béni soit le sort qui nous a désignés ! — il semble qu'à présent sur cette île si reculée, toute passion étant abandonnée, nos grands destins enfin vont se résoudre, et notre cœur ici plus complètement dévoué va parvenir enfin à la vertu la plus parfaite.

NÉOPTOLÈME

Est-ce tout, Ulysse ? Et maintenant, ayant bien

parlé, que comptes-tu faire? car mon esprit se refuse encore à comprendre complètement tes paroles... Dis : pourquoi sommes-nous venus ici?

ULYSSE

Pour prendre l'arc d'Hercule; ne l'as-tu pas compris?

NÉOPTOLÈME

Ulysse, est-ce là ta pensée?

ULYSSE

Non la mienne, mais celle que les dieux m'ont donnée.

NÉOPTOLÈME

Philoctète ne voudra pas nous le céder.

ULYSSE

Aussi nous en emparerons-nous par la ruse.

NÉOPTOLÈME

Ulysse, je te hais. Mon père m'apprit à ne jamais me servir de la ruse.

ULYSSE

Elle est plus forte que la force; celle-ci n'attend pas. Ton père est mort, Néoptolème; je suis vivant.

NÉOPTOLÈME

Et ne disais-tu pas qu'il valait mieux mourir?

ULYSSE

Non qu'il valait mieux, mais qu'il était plus aisé de mourir. Rien n'est trop malaisé pour la Grèce.

NÉOPTOLÈME

Ulysse ! pourquoi m'as-tu choisi ? Et qu'avais-tu besoin de moi pour cet acte que toute mon âme désapprouve ?

ULYSSE

Parce que cet acte, je ne peux, moi, le faire : Philoctète me connaît trop. S'il me voit seul, il va soupçonner quelque ruse. Ton innocence protégera. Cet acte, il faut que ce soit toi qui le fasses.

NÉOPTOLÈME

Non, Ulysse ; par Zeus, je ne le ferai point.

ULYSSE

Enfant, ne parle pas de Zeus. Tu ne m'as pas compris. Écoute-moi. Parce que mon âme tourmentée se cache et qu'elle accepte, me crois-tu moins triste que toi ? Tu ne connais pas Philoctète, et Philoctète est mon ami. Il m'est plus dur qu'à toi de le trahir. Les ordres des dieux sont cruels ; ils sont les dieux. Si je ne te parlais pas, dans la barque, c'est que mon grand cœur attristé ne songeait même plus aux paroles... Mais tu t'emportes comme faisait ton père et tu n'entends plus la raison.

NÉOPTOLÈME

Mon père est mort, Ulysse ; ne parle pas de lui ; il est mort pour la Grèce. Ah ! pour elle lutter, souffrir, mourir — demande-moi ce que tu veux, — mais pas trahir un ami de mon père !

ULYSSE

Enfant, écoute et réponds-moi : n'es-tu pas l'ami de tous les Grecs avant d'être l'ami d'un seul ? ou plutôt : la patrie n'est-elle pas plus qu'un seul ? et souffrirais-tu de sauver un homme s'il te fallait pour le sauver perdre la Grèce ?

NÉOPTOLÈME

Ulysse, tu dis vrai, je ne le souffrirais pas.

ULYSSE

Et tu conviens que, si l'amitié est une chose très précieuse, la patrie est chose plus précieuse encore ?... Dis-moi, Néoptolème, en quoi consiste la vertu ?

NÉOPTOLÈME

Instruis-moi, sage fils de Laërte.

ULYSSE

Calme ta passion ; soumets tout au devoir...

NÉOPTOLÈME

Mais quel est le devoir, Ulysse ?

ULYSSE

La voix des dieux, l'ordre de la cité, l'offrande de nous à la Grèce ; et, comme l'on voit les amants chercher alentour sur la terre les plus précieuses fleurs en dons à faire à leur maîtresse, et désirer mourir pour elle, comme s'ils n'avaient, malheureux, rien de mieux à donner qu'eux-mêmes, s'il est vrai que ta patrie te soit chère, que saurais-tu lui donner de trop cher, et ne convins-tu pas tout à l'heure qu'après elle aussitôt venait l'amitié ? Qu'avait Agamemnon de plus cher que sa fille, si ce n'était pas la patrie ? Comme sur un autel, immole... mais qu'a de même Philoctète, en cette île où tout seul il vit, qu'a-t-il de plus précieux que cet arc, en don à faire à la patrie ?

NÉOPTOLÈME

Mais, Ulysse, en ce cas, demande-lui.

ULYSSE

Il pourrait refuser. Je ne connais pas son humeur, mais sais que son délaissement l'irrita contre les chefs de l'armée. Peut-être irrite-t-il les dieux par sa pensée et cesse-t-il horriblement de nous souhaiter la victoire. Et peut-être les dieux offensés ont-ils voulu par nous le châtier encore. En le forçant à la vertu par l'abandon obligé de ses armes, les dieux seront pour lui moins sévères.

NÉOPTOLÈME

Mais, Ulysse, les actes que l'on fait malgré soi peuvent-ils être méritoires ?

ULYSSE

Ne crois-tu pas, Néoptolème, qu'il importe avant tout que les ordres des dieux s'accomplissent ? fussent-ils accomplis sans l'aveu de chaque homme ?

NÉOPTOLÈME

Tout ce que tu disais avant, je l'approuvais ; mais à présent je ne sais plus que dire, et même il me paraît...

ULYSSE

Chut ! Écoute... N'entends-tu rien ?

NÉOPTOLÈME

Si : le bruit de la mer.

ULYSSE

Non. C'est lui ! Ses cris affreux commencent de parvenir jusqu'à nous.

NÉOPTOLÈME

Affreux ! Ulysse, j'entends des chants mélodieux au contraire.

ULYSSE, *prêtant l'oreille.*

C'est vrai qu'il chante. Il est bien bon ! A

présent qu'il est seul, il chante ! Quand c'était près de nous, il criait.

NÉOPTOLÈME

Que chante-t-il ?

ULYSSE

On ne peut encore distinguer les paroles. Écoute : il se rapproche cependant.

NÉOPTOLÈME

Il cesse de chanter. Il s'arrête. Il a vu nos pas sur la neige.

ULYSSE, *riant.*

Et voilà qu'il recommence à crier. Ah ! Philoctète !

NÉOPTOLÈME

En effet, ses cris sont horribles.

ULYSSE

Va ; cours porter sur ce roc mon épée ; qu'il reconnaisse une arme grecque et sache que les pas qu'il voyait sont ceux d'un homme de sa patrie. — Hâte-toi. Le voilà qui s'approche. — C'est bien. — Viens à présent ; postons-nous derrière ce tertre de neige ; nous le verrons sans être vus. Quelles imprécations va-t-il faire ! « Malheureux, dira-t-il, et périssent les Grecs qui m'ont abandonné ! Chefs de l'armée ! toi, fourbe Ulysse ! vous, Agamemnon, Ménélas ! Puissent-ils à leur tour être dévorés par mon mal ! O ! mort ! mort que j'appelle chaque jour, resteras-tu sourde à ma plainte ? ne pourras-tu jamais venir ? O antre ! rochers ! promontoires ! muets témoins de mes douleurs, ne pourrez-vous jamais... »

Philoctète entre ; il aperçoit le casque et les armes posés au milieu du théâtre.

SCÈNE II

PHILOCTÈTE, ULYSSE, NÉOPTOLÈME

PHILOCTÈTE

Il se tait.

DEUXIÈME ACTE

SCÈNE I

ULYSSE, PHILOCTÈTE, NÉOPTOLÈME

Tous trois sont assis.

PHILOCTÈTE

Certes, Ulysse, ce n'est que depuis que je suis loin des autres que je comprends ce qu'on appelle la vertu. L'homme qui vit parmi les autres est incapable, incapable, crois-moi, d'une action pure et vraiment désintéressée. Ainsi, vous... vîntes ici... pourquoi?...

ULYSSE

Mais pour te voir, cher Philoctète.

PHILOCTÈTE

Je n'en crois rien et peu m'importe; le plaisir que j'ai de vous revoir est grand et me suffit. J'ai perdu le talent de chercher les motifs des actes, depuis que les miens n'en ont plus de secrets. Ce que je suis, pour qui le paraîtrais-je ? J'ai souci d'être seulement. J'ai cessé de gémir, sachant qu'ici nulle oreille ne peut m'entendre, cessé de souhaiter, sachant qu'ici je ne pouvais rien obtenir.

ULYSSE

Que ne cessas-tu de gémir plus tôt, Philoctète ? Nous t'eussions gardé près de nous.

PHILOCTÈTE

C'est ce qu'il ne fallait pas, Ulysse. Près des autres mon silence eût été mensonge.

ULYSSE

Tandis qu'ici ?

PHILOCTÈTE

Ma souffrance n'a plus besoin de mots pour se connaître n'étant connue que de moi.

ULYSSE

Alors, depuis notre départ tu t'es tu, Philoctète ?

PHILOCTÈTE

Non pas. Mais depuis que je ne m'en sers plus pour manifester ma souffrance, ma plainte est devenue très belle à ce point que j'en suis consolé.

ULYSSE

Tant mieux, mon pauvre Philoctète.

PHILOCTÈTE

Ne me plains pas, surtout ! J'ai cessé de souhaiter, te disais-je, sachant que je ne pouvais rien obtenir... Rien obtenir du dehors, il est vrai, mais beaucoup obtenir de moi-même ; c'est depuis lors que je souhaite la vertu ; mon âme y est tout employée, et je repose, malgré ma douleur, dans le calme — j'y reposais du moins, quand vous êtes venus... Tu souris ?

ULYSSE

Je vois que tu as su t'occuper.

PHILOCTÈTE

Tu m'écoutes sans me comprendre. N'estimes-tu pas la vertu ?

ULYSSE

Si : la mienne.

PHILOCTÈTE

Quelle est-elle ?

ULYSSE

Tu m'écouterais sans me comprendre... Parlons des Grecs plutôt. Ta vertu solitaire t'a-t-elle fait cesser de te souvenir d'eux ?

PHILOCTÈTE

Pour cesser de m'irriter contre eux, oui certes.

ULYSSE

Entends ! Néoptolème. — Ainsi le succès du combat pour lequel...

PHILOCTÈTE

... vous m'avez laissé... que veux-tu que j'en pense, Ulysse ? Si vous m'avez laissé, c'était pour vaincre, n'est-ce pas ? J'espère donc pour vous que vous êtes vainqueurs...

ULYSSE

Et sinon ?

PHILOCTÈTE

Sinon nous aurions cru l'Hellas trop grande. Moi, dans cette île, je me suis fait, comprends, de jour en jour moins Grec, de jour en jour plus homme... Pourtant, quand je vous vois, je sens... Achille est mort, Ulysse ?

ULYSSE

Achille est mort ; celui qui m'accompagne est son fils. Quoi ! tu sanglotes, Philoctète ?... ce calme si cherché...

PHILOCTÈTE

Achille !... Enfant, laisse ma main flatter ton front si beau... Voilà longtemps, longtemps que ma main n'a touché que des corps froids; et même les corps des oiseaux que je tue, tombant sur les flots ou la neige, sont, lorsque mes mains s'en approchent, glacés comme ces régions supérieures de l'atmosphère qu'ils traversent...

ULYSSE

Tu t'exprimes bien, pour quelqu'un qui souffre.

PHILOCTÈTE

Où que j'aille et toujours je suis fils de la Grèce.

ULYSSE

Mais tu n'as plus à qui parler.

PHILOCTÈTE

Je te l'ai dit; ne m'as-tu pas compris? Je m'exprime mieux depuis que je ne parle plus à des hommes. Mon occupation, entre la chasse et le sommeil, est la pensée. Mes idées, dans la solitude, et comme rien, même la douleur, ne les dérange, ont pris un cours subtil que parfois je ne suis qu'avec peine. J'ai compris sur la vie plus de secrets que ne m'en avaient révélé tous mes maîtres. Je m'occupais aussi à me raconter mes douleurs, et, si la phrase était très belle, j'en étais d'autant consolé; parfois même j'oubliais ma tristesse, à la dire. Je compris que les mots sont plus beaux dès qu'ils ne servent plus aux demandes. N'ayant plus, près de moi, d'oreilles ni de bouches, je n'employais que la beauté de mes paroles ; je les criais à toute l'île, le long des plages ; et l'île en m'écoutant semblait moins solitaire ; la nature semblait pareille à ma tristesse ; il me semblait que j'en étais la voix et que les rochers muets l'attendissent pour raconter leurs maladies ; car j'ai compris qu'autour de moi tout est malade... et que ce froid n'est pas normal, car je me souviens de la Grèce... Et je pris lentement l'habitude de clamer la détresse plutôt des choses que la mienne ; je trouvais cela mieux, comment te dire ? d'ailleurs cette détresse était la même et j'étais autant consolé. Puis c'est en parlant de la mer et de la vague interminable que je fis mes plus belles phrases. Te l'avouerai-je, Ulysse, — Ulysse ! — certaines étaient si belles que j'en sanglotais de tristesse qu'aucun homme ne les pût ouïr. Son âme, il me semblait, en eût été changée. Écoute, Ulysse ! écoute. On ne m'a pas encore entendu.

ULYSSE

Tu pris l'habitude, je vois, de parler sans qu'on t'interrompe. Allons, récite.

PHILOCTÈTE, *déclamant.*

Sourires infinis des flots de la mer...

ULYSSE, *riant.*

Mais Philoctète, c'est de l'Eschyle.

PHILOCTÈTE

Peut-être... Cela te gêne...? *(Reprenant.)* Sanglots infinis des flots de la mer...

Silence.

ULYSSE

Et puis...

PHILOCTÈTE

Je ne sais plus... Je suis troublé.

ULYSSE

Tant pis! tu reprendras une autre fois.

NÉOPTOLÈME

Oh! si tu continuais, Philoctète!

ULYSSE

Tiens! l'enfant t'écoutait!...

PHILOCTÈTE

Je ne sais plus parler.

ULYSSE, *se lève.*

Je te laisse un instant rechercher ta pensée. A bientôt, Philoctète. — Mais, dis : il n'est point captivité si dure, qu'elle n'ait tel repos, tel oubli, tel répit?...

PHILOCTÈTE

En effet, Ulysse; un jour, un oiseau tomba, que

j'avais tiré, que ma flèche n'avait que blessé, que j'espérai faire revivre. Mais comment garder cette émotion aérienne et qui volait, au ras de cette terre ardue où le froid donne à l'eau même, gelée, la forme de mes logiques pensées ? L'oiseau mourut ; je l'ai vu mourir en peu d'heures ; pour l'échauffer encore, je l'étouffais de baisers et d'haleines. Il est mort du besoin de voler...

Même, il me semble, cher Ulysse, que le torrent de poésie, sitôt quitté mes lèvres, se fige, et meurt de ne pouvoir se propager, et que se réduit toujours plus l'intime flamme qui l'anime. Bientôt, vivant toujours, je serai tout abstrait. Le froid m'envahit, cher Ulysse, et je m'épouvante à présent, car j'y trouve, et dans sa rigueur même, une beauté.

Je marche sûrement sur les choses et sur les fluides durcis. Sans plus rêver jamais, je pense. Je ne goûte plus d'espérance, et pour cela ne suis plus jamais enivré. Quand ici, où tout est pierre dure, je pose quoi... fût-ce une graine, je la retrouve, longtemps après, la même ; elle n'a jamais germiné. Ici, rien ne devient, Ulysse : tout est, tout demeure. Enfin, l'on peut ici spéculer ! — J'ai gardé l'oiseau mort ; le voici ; l'air trop froid l'empêche à jamais de pourrir. Et mes actes, Ulysse, et mes paroles, comme gelées, permanent, m'entourent comme un cercle de roches posées. Et les retrouvant là, chaque jour, toute passion se tait, je sens la Vérité toujours plus ferme — et je voudrais mes actions de même toujours plus solides et plus belles ; vraies, pures, cristallines, belles, belles, Ulysse, comme ces cristaux de clair givre, où, si le soleil paraissait, le soleil tout entier paraîtrait au travers. Je ne veux empêcher aucun rayon de Zeus ; qu'il me traverse, Ulysse, comme un prisme, et que cette lumière réfractée fasse mes actes adorables. Je voudrais parvenir à la plus grande transparence, à la suppression de mon opacité, et que, me regardant agir, toi-même sentes la lumière...

ULYSSE, *partant.*

Allons, adieu. *(Montrant Néoptolème.)* Cause avec lui, puisqu'il t'écoute.

Il sort.

SCÈNE II

PHILOCTÈTE, NÉOPTOLÈME

NÉOPTOLÈME

Philoctète ! enseigne-moi la vertu...

TROISIÈME ACTE

SCÈNE I

PHILOCTÈTE *(Il entre)*

PHILOCTÈTE,

bouleversé par la surprise et la douleur.

Aveugle Philoctète! reconnais ton erreur et pleure ta folie! Qu'avoir revu des Grecs ait pu ravir ton cœur... Ai-je bien entendu? — Certes : Ulysse était assis, et près de lui Néoptolème; ne me sachant point près, ils n'avaient même pas baissé la voix; Ulysse, conseillant Néoptolème, lui apprenait à me trahir; lui disait... Malheureux Philoctète! c'est pour ravir ton arc qu'ils sont revenus jusqu'à toi! Comme ils en ont besoin!... Précieux arc, oh! l'unique bien qui me reste, et sans lequel... *(Il prête l'oreille.)* On vient! Défends-toi, Philoctète! ton arc est bon, ton bras est sûr. Vertu! vertu, que je chérissais tant, solitaire! Mon cœur silencieux s'était calmé, loin d'eux.

Ah ! je sais maintenant ce que vaut l'amitié qu'ils proposent ! Est-ce la Grèce, ma patrie ? Ulysse que je hais, et toi, Néoptolème... Comme il m'écoutait cependant ! Quelle douceur ! Enfant... aussi beau, oh ! plus beau que n'était beau ton père... Comment un front si pur cache-t-il une telle pensée ? « La vertu », disait-il, « Philoctète, apprends-moi la vertu. » Que lui disais-je ? Je ne me souviens plus que de lui... Et qu'importe à présent ce que je pus lui dire !... *(Il écoute.)* Des pas !... Qui vient ? Ulysse ! *(Il saisit son arc.)* Non, c'est... Néoptolème.

Entre Néoptolème.

SCÈNE II

PHILOCTÈTE et NÉOPTOLÈME

NÉOPTOLÈME, *appelant.*

... Philoctète ! *(Il s'approche et, comme défaillant)* ah ! je suis malade...

PHILOCTÈTE

Malade ?...

NÉOPTOLÈME

C'est toi qui m'as troublé. Rends-moi le calme, Philoctète. Tout ce que tu m'as dit a germé dans mon cœur. Tandis que tu parlais, je ne savais pas quoi répondre. J'écoutais ; mon cœur s'ouvrait naïf à tes paroles. Depuis que tu t'es tu, j'écoute encore. Mais voici, tout se trouble et je suis dans l'attente. Parle ! je n'ai pas assez entendu... Il faut se dévouer disais-tu ?...

PHILOCTÈTE, *fermé.*

... Se dévouer.

NÉOPTOLÈME

Mais Ulysse aussi me l'enseigne. Se dévouer à quoi, Philoctète ? Il dit que c'est à la patrie...

PHILOCTÈTE

... A la patrie.

NÉOPTOLÈME

Ah ! parle, Philoctète ; tu dois continuer, à présent.

PHILOCTÈTE, *se dérobant.*

Enfant... sais-tu tirer de l'arc ?

NÉOPTOLÈME

Oui. Pourquoi ?

PHILOCTÈTE

Pourrais-tu bander celui-ci ?...

NÉOPTOLÈME, *déconcerté.*

Tu veux... Je ne sais. *(Il essaie.)* Oui ; peut-être. — Voilà !

PHILOCTÈTE, *à part.*

Quelle facilité ! Il semble que ce soit...

NÉOPTOLÈME, *indécis.*

Et maintenant...

PHILOCTÈTE

J'ai vu ce que je voulais voir.

Il reprend l'arc.

NÉOPTOLÈME

Je ne te comprends pas.

PHILOCTÈTE

N'importe, hélas !... *(Il se ravise.)* Écoute, enfant. Ne crois-tu pas les dieux au-dessus de la Grèce, et les dieux plus importants qu'elle ?

NÉOPTOLÈME

Non, par Zeus, je ne le crois pas.

PHILOCTÈTE

Et pourquoi donc, Néoptolème ?

NÉOPTOLÈME

Car les dieux que je sers ne servent que la Grèce.

PHILOCTÈTE

Eh quoi ! Sont-ils soumis ?

NÉOPTOLÈME

Non soumis... je ne sais comment dire... Mais, vois ! tu sais qu'on ne les connaît pas hors la Grèce ; la Grèce est leur pays aussi bien que le nôtre ; en servant celle-ci, je les sers ; ils ne diffèrent pas de ma patrie.

PHILOCTÈTE

Pourtant, vois, moi je puis t'en parler, moi qui ne suis plus de la Grèce — et... je les sers...

NÉOPTOLÈME

Crois-tu ? — Ah ! pauvre Philoctète ! on ne s'échappe pas aisément de la Grèce... et même.

PHILOCTÈTE, *attentif.*

Et même ?...

NÉOPTOLÈME

Ah ! si tu savais... Philoctète...

PHILOCTÈTE

Si je savais... quoi ?...

NÉOPTOLÈME, *se reprenant.*

Non, parle, toi ; je suis venu pour écouter ; tu interroges... Et je sens bien qu'Ulysse et toi, votre vertu n'est pas la même... Mais quand il faut parler, toi qui parlais si bien, tu hésites... Se dévouer à quoi, Philoctète ?

PHILOCTÈTE

J'allais te dire : aux dieux... Mais c'est donc qu'au-dessus des dieux, Néoptolème, il y a quelque chose.

NÉOPTOLÈME

Au-dessus des dieux !

PHILOCTÈTE

Oui, puisque je n'agis pas comme Ulysse.

NÉOPTOLÈME

Se dévouer à quoi, Philoctète ? Au-dessus des dieux, qu'y a-t-il ?

PHILOCTÈTE

Il y a... *(Il se prend la tête dans les mains, comme accablé.)* Je ne sais plus. Je ne sais pas... Ah ! ah ! soi-même !... Je ne sais plus parler. Néoptolème...

NÉOPTOLÈME

Se dévouer à quoi ? Dis, Philoctète...

PHILOCTÈTE

... Se dévouer... se dévouer...

NÉOPTOLÈME

Tu pleures !

PHILOCTÈTE

Enfant ! Ah ! si je pouvais te montrer la vertu... *(Il se dresse brusquement.)* J'entends Ulysse ! Adieu... *(Il s'écarte et dit en s'en allant :)* Te reverrai-je ?

NÉOPTOLÈME

Adieu.

Entre Ulysse.

SCÈNE III

ULYSSE et NÉOPTOLÈME

ULYSSE

Viens-je à temps ? Qu'a-t-il dit ? As-tu bien parlé, mon élève ?

NÉOPTOLÈME

Grâce à toi mieux que lui. Mais qu'importe ? — Ulysse... il m'a donné son arc à tendre !...

ULYSSE

Son arc ! quelle plaisanterie ! — Eh que ne l'as-tu donc gardé, fils d'Achille ?

NÉOPTOLÈME

Que vaut un arc sans flèches? Tandis que j'avais l'arc, il retenait les flèches prudemment.

ULYSSE

L'habile ami!.. Se doute-t-il, crois-tu? Que disait-il?

NÉOPTOLÈME

Oh! rien, ou presque.

ULYSSE

Et t'a-t-il récité de nouveau sa vertu?

NÉOPTOLÈME

Lui qui parlait si bien naguère, dès mes questions, il s'est tu.

ULYSSE

Tu vois!...

NÉOPTOLÈME

Et quand j'ai demandé à quoi l'on peut se dévouer, qui ne soit pas toujours la Grèce, il m'a dit...

ULYSSE

Il t'a dit?..

NÉOPTOLÈME

Qu'il ne savait pas Et quand j'ai dit que les

dieux mêmes, ainsi que tu m'avais appris, s'y soumettaient, il a répondu : C'est alors qu'au-dessus des dieux, il y a...

ULYSSE

Quoi ?

NÉOPTOLÈME

Il m'a dit qu'il ne savait pas.

ULYSSE

Eh ! tu vois bien, Néoptolème !...

NÉOPTOLÈME

Non, Ulysse, il me semble que je le comprends, à présent.

ULYSSE

Que tu comprends quoi ?

NÉOPTOLÈME

Quelque chose. Car enfin, dans cette île si solitaire, quand nous n'étions pas là, à quoi se dévouait Philoctète ?

ULYSSE

Mais, tu l'as dit : à rien. A quoi sert la vertu solitaire ? Malgré tout ce qu'il croit, elle s'exhalait sans emploi. A quoi servent toutes ses phrases ; belles tant qu'il voudra... T'ont-elles convaincu, toi ? — moi non plus.

S'il vit ainsi, seul dans cette île, je te l'ai bien prouvé, c'était pour délivrer l'armée de ses gémissements et de sa puanteur; c'est là son premier dévouement; c'est là sa vertu, quoi qu'il en dise. Sa seconde vertu, ce sera, s'il est si vertueux, de se bien consoler, quand il aura perdu son arc, en songeant que c'est pour la Grèce. Quel autre dévouement s'imagine, qui ne soit pas pour la patrie? Il attendait, vois-tu, que nous vinssions l'offrir... Mais, comme il pourrait refuser, mieux nous vaut forcer sa vertu, lui imposer le sacrifice — et je crois plus prudent de l'endormir. Vois ce flacon...

NÉOPTOLÈME

Ah! ne parle pas trop, Ulysse... Philoctète, lui, se taisait.

ULYSSE

C'est qu'il n'avait plus rien à dire.

NÉOPTOLÈME

Et c'est pour cela qu'il pleurait?

ULYSSE

Il pleurait de s'être trompé.

NÉOPTOLÈME

Non, c'est à cause de moi qu'il pleurait.

ULYSSE, *souriant.*

De toi?... Ce qu'on commence par sottise, ensuite par orgueil on l'appelle vertu.

NÉOPTOLÈME, *éclate en sanglots.*

Ulysse! tu ne comprends pas Philoctète...

QUATRIÈME ACTE

SCÈNE I

PHILOCTÈTE, NÉOPTOLÈME

Philoctète est seul, assis ; il semble accablé de douleur — ou médite.

NÉOPTOLÈME, *entre en courant.*

Que je le trouve à temps !... Ah ! c'est toi, Philoctète. En hâte, écoute-moi. Ce que nous venions faire ici est indigne ; mais, sois plus grand que nous : pardonne-moi. Nous venions... oh ! j'ai honte à le dire... te voler ton arc, Philoctète !...

PHILOCTÈTE

Je le savais.

NÉOPTOLÈME

Tu ne me comprends pas... c'est te voler ton arc, te dis-je... Ah ! défends-toi !

PHILOCTÈTE

Contre qui ? Contre toi ? dis, mon Néoptolème.

NÉOPTOLÈME

Non certes contre moi : je t'aime et te préviens.

PHILOCTÈTE

Et tu trahis Ulysse...

NÉOPTOLÈME

Et suis au désespoir... C'est à toi que je me dévoue. M'aimes-tu ? Parle, Philoctète. Est-ce que c'est là la vertu ?

PHILOCTÈTE

Enfant !...

NÉOPTOLÈME

Vois ce que je t'apporte. Cette fiole a pour mission de t'endormir. Mais moi je te la donne. Voici. Est-ce de la vertu ? — Parle-moi.

PHILOCTÈTE

Enfant ! on ne parvient que pas à pas à la vertu supérieure ; ce que tu fais ici n'est qu'un bond.

NÉOPTOLÈME

Alors enseigne-moi, Philoctète.

PHILOCTÈTE

Cette fiole était pour m'endormir, dis-tu ? *(Il la prend et la regarde.)* Petite fiole... toi, du moins, ne manque pas ton but ! Vois-tu ce que je fais, Néoptolème ?

Il boit.

NÉOPTOLÈME

Quoi ! malheureux, mais c'est...

PHILOCTÈTE

Préviens Ulysse. Tu lui diras... qu'il peut venir.

Néoptolème épouvanté sort en courant et en criant.

SCÈNE II

PHILOCTÈTE, puis ULYSSE et NÉOPTOLÈME

PHILOCTÈTE, *seul.*

Et tu m'admireras, Ulysse ; je te veux contraindre à m'admirer. Ma vertu monte sur la tienne et tu te sens diminué. Exalte-toi, vertu de Philoctète ! satisfais-toi de ta beauté ! Néoptolème, que ne pris-tu mon arc tout de suite ? Plus tu m'aimais, plus cela t'était difficile : tu ne t'es pas assez dévoué. Prends-les... *(Il regarde.)* Il n'est plus là...
Ce breuvage avait un goût affreux ; d'y penser, mon cœur se soulève ; je voudrais m'endormir plus vite... De tous les dévouements, le plus fou c'est celui pour les autres, car alors on leur

devient supérieur. Je me dévoue, oui, mais ce n'est pas pour la Grèce... Je ne regrette qu'une chose, c'est que mon dévouement serve à la Grèce... Et non, je ne le regrette même pas... Mais alors, ne me remercie pas : c'est pour moi que j'agis, non pour toi. — Ulysse, tu m'admireras, n'est-ce pas ? — Mais, m'admireras-tu, Ulysse ? — Ulysse ! Ulysse ! où donc es-tu ? Comprends : je me dévoue, mais ce n'est pas pour la patrie... c'est pour autre chose, comprends ; c'est pour... quoi ? Je ne sais pas. Vas-tu comprendre ? Ulysse ! tu vas croire peut-être que je me dévoue pour la Grèce ! Ah ! cet arc et ces flèches vont y servir !... Où les jeter ? — La mer ! *(Il veut courir, mais retombe vaincu par le breuvage.)* Je suis sans force. Ah ! ma tête se trouble... Il va venir...

Vertu ! vertu ! je cherche dans ton nom amer un peu d'ivresse ; l'aurais-je déjà tout épuisée ? L'orgueil qui me soutient chancelle et cède ; je fuis de toutes parts. « Pas de bonds ; pas de bonds », lui disais-je. Ce que l'on entreprend au-dessus de ses forces, Néoptolème, voilà ce qu'on appelle vertu. Vertu... je n'y crois plus, Néoptolème. Mais écoute-moi donc, Néoptolème ! Néoptolème, il n'y a pas de vertu. — Néoptolème !... Il n'entend plus...

Il tombe accablé et s'endort.

ULYSSE, *entrant et voyant Philoctète.*

Et maintenant, laisse-moi seul avec lui.

Néoptolème en proie à la plus vive émotion hésite à se retirer.

Eh oui! va n'importe où; cours apprêter la barque, si tu veux.

Néoptolème sort.

ULYSSE, *seul*
s'approche de Philoctète et se penche.

Philoctète!... Tu ne m'entends donc plus, Philoctète? — Tu ne m'entendras plus? — Que faire? J'aurais voulu te dire... que tu m'as vaincu, Philoctète. Et je vois la vertu, maintenant; et je la sens si belle, que près de toi je n'ose plus agir. Mon devoir m'apparaît plus cruel que le tien, parce qu'il m'apparaît moins auguste. Ton arc... je ne peux plus, je ne veux plus le prendre : tu l'as donné. — Néoptolème est un enfant : qu'il obéisse. Ah! le voilà! *(Impératif.)* Et maintenant Néoptolème, prends l'arc et les flèches, et va les porter à la barque.

Néoptolème désolé s'approche de Philoctète, se penche, puis se jette à genoux et baise Philoctète au front.

ULYSSE

Je te l'ordonne. M'avoir trahi ne serait pas assez? Veux-tu trahir aussi ta patrie? Vois comme il s'y est dévoué.

Néoptolème soumis prend l'arc et les flèches et s'éloigne.

ULYSSE, *seul.*

Et maintenant, adieu, dur Philoctète. Est-ce que tu m'as beaucoup méprisé ? Ah, je voudrais savoir... Je voudrais qu'il sache que je le trouve admirable... et que... grâce à lui, nous vaincrons.

NÉOPTOLÈME, *de loin appelle.*

Ulysse ! ! !

ULYSSE

Me voici.

Il sort.

CINQUIÈME ACTE

Philoctète est seul, sur un rocher. Le soleil se lève dans un ciel parfaitement pur. Au loin sur la mer fuit une barque. Philoctète la regarde longuement.

PHILOCTÈTE

PHILOCTÈTE, *murmure très calme.*

Ils ne reviendront plus; ils n'ont plus d'arc à prendre... — Je suis heureux.

Sa voix est devenue extraordinairement belle et douce; des fleurs autour de lui percent la neige, et les oiseaux du ciel descendent le nourrir.

BETHSABÉ

à Mme Lucie Delarue-Mardrus

Bethsabé a paru dans *Vers et Prose,* numéro de décembre 1908 à mars 1909. Les deux premières scènes avaient paru dans *L'Ermitage,* numéros de janvier et février 1903.

SCÈNE I

DAVID, roi de Juda.
JOAB, chef de l'armée de David.

Le roi David, en vêtements mi-sacerdotaux, mi-guerriers, prosterné, récite une prière qu'il achève de transcrire.

DAVID

« ... Même l'homme robuste faiblit, et même l'homme jeune chancelle,
Mais celui qui se confie en Dieu... »

Joab entre

Tu viens trop tôt Joab; je n'ai pas achevé ma prière.
Tais-toi. — Où en étais-je?... Ah!...
« Celui-là ne chancellera guère.
Dieu prêtera sa force à celui qui est las;
Les ailes lui repousseront comme aux aigles. » —
J'avais d'abord mis : « leurs ailes repousseront comme celles... »

Mais : « lui repousseront comme aux aigles » vaut mieux.
Que me veux-tu ?

JOAB

Le Hétien est de retour.

DAVID

Quel est ce Hétien ? D'où revient-il ?

JOAB

Du siège de Rabba dont il rapporte les nouvelles.
Au demeurant c'est un soldat sans importance
Et que le roi...

DAVID

Bah ! serais-tu jaloux de lui, Joab ?
Urie le Hétien est le plus vaillant de mes hommes.
J'ai feint de l'ignorer ; c'était pour t'écouter mentir.
Vais-je oublier qui triompha des Philistins à Gath ?
Qui défendit contre eux les champs de Pas-Dammim ?
Dis : qui frappa les deux lions de Moab ? C'était lui.
Et les quatre géants, les fils de Rapha ? C'était lui.

JOAB

Peut-être...

DAVID

Écoute encore : Au temps de la moisson,
Dans la caverne d'Adullam, je cherchais en vain la fraîcheur ;
Les Philistins campaient dans la vallée ;
Par eux, depuis deux jours, Bethléem était occupée.
Tu sais qu'à Bethléem coule une source amère ;
De son eau j'eus soif, ce jour-là,
Et je soupirais après elle...
Qui traversa le camp de l'ennemi ?
Et qui risqua sa vie pour m'en rapporter une coupe ?
Qui donc était-ce, dis ?
C'était le Hétien Urie.
Et c'est en vain, Joab, que tu feins d'oublier ces choses ;
Jusqu'au bord du tombeau je les rappellerais encore.
Je ne veux pas que quelqu'un puisse dire
Qu'on oblige le roi sans profit.
J'entends qu'Urie mange à ma table ;
Tout ce que je possède est à lui.
Je l'attends au palais ; qu'il le sache.

Joab fait signe à un serviteur et lui transmet l'ordre du roi.

Il est l'ami de Nathan, n'est-ce pas ?

JOAB

De Nathan le prophète, oui Sire.

Joab fait mine de sortir.

DAVID

Ne t'en va pas.

Le roi reste quelques instants silencieux.

J'ai peur du prophète Nathan... Tu souris?
C'est que tu ne connais pas sa puissance;
Le peuple obéit à sa voix;
Moi-même, devant lui, comme un enfant, je me tiens coi;
Quand il dit : « L'Éternel... » on croirait ouïr Dieu lui-même.
Certes, j'ai ouï parler d'autres prophètes;
Ils prophétisent, puis se taisent;
La voix de celui-ci continue.
Je veux le forcer à se taire.
Mon Joab, j'ai peur de Nathan.

Il arrive une heure du jour où la force des rois diminue;
Il arrive un jour de la vie où celui qui marchait se sent las.
Je me souviens de mes vertus, des prières de ma jeunesse;
Celui qui conversait alors avec Dieu, c'était moi.
Je me souviens du roi Saül... Moi aussi, comme lui, devant mes pas,
Je commence à voir grandir l'ombre.
Ce n'est plus moi que l'Éternel écoute;
Il ne parle plus par ma bouche,

Il ne s'adresse plus à moi...
Mais depuis quelque temps je supporte mal son silence.
Je veux le forcer à parler.

Comme un chien affamé ronge un os dont toute la chair est partie,
Comme une mère presse en ses bras son enfant mort,
Toute la nuit j'ai pressé le nom de mon Dieu sur mes lèvres :
Entre mes mains jointes pour la prière
J'ai réchauffé ce qui me restait de foi pour prier;
Mais voici — j'entendis au-dessus de moi comme une aile...
C'était l'heure où la flamme de la lampe chancelle,
Où l'huile de la lampe tarit,
L'heure où l'homme vaillant s'épouvante,
Où la résolution vertueuse faiblit,
Où le vin du sommeil enivre les rois et les hommes...
Mon âme à moi demeurait vigilante;
J'avais attendu Dieu toute la nuit.
— J'entendis au-dessus de moi comme un souffle,
L'esprit léger de Dieu qui descendait vers moi.
Esprit de Dieu, quel nom te donnerai-je?
Joab, j'ai vu parfois voleter autour de son nid la colombe
Quand elle hésite un instant : poserai-je?
Et qu'elle hésite à se poser.

Au-dessus de mon lit l'Esprit de Dieu battait de l'aile,
Il descendait toujours plus près.
Colombe d'or, ma main bientôt te saisira peut-être...
J'étendis le bras vers l'oiseau ;
Puis m'élançai, le poursuivant de salle en salle
Jusqu'à l'escalier droit qui monte aux jardins du palais.
Lui grandissait ; il éclairait comme un tonnerre,
Parfois posait, —
Mais alors brusquement je sentais mes genoux sans force,
Et, près de le saisir, toute mon âme s'effarait,
Il repartait ; il bondissait de marche en marche ;
Je voulais le saisir et n'osais...
Jusqu'où tu monteras, colombe,
J'attendrai là...

Ce fut une petite terrasse
Secrète et que je crois que je ne connaissais encore pas.
L'oiseau de Dieu, soudain, s'était évadé dans l'air libre ;
Il me sembla soudain qu'il emportait tout mon désir.
C'était l'heure bientôt où le ciel s'éveille,
Où le mur bleuit ;
Les jardins, à mes pieds, faisaient de profonds bassins d'ombre

Où mon regard lucide, au travers de la brume, plongeait.
A qui sont ces jardins, Joab ? Moi je l'ignore ;
Mais je sais que c'est là que mon palais finit.
Je me penchais, car je ne distinguais pas bien encore
Ce qu'au fond d'un jardin je voyais de blanc s'agiter.
Je pressentais, à plus de brume, une fontaine ;
Auprès de la fontaine, une forme penchée.
Était-ce une femme voilée ?
Une aile blanche au bord de l'eau ?...
Oui, cela s'agitait, cela palpitait comme une aile ;
Quelques instants je crus que j'avais retrouvé mon oiseau
Le soleil qui surgit força de cligner mes paupières ;
Quand je rouvris les yeux j'étais ébloui de lumière,
Mais plus rien qu'une femme était là.
Elle avait dépouillé ses voiles ;
Ses pieds nus étaient entrés dans l'eau.
Elle entra parmi les roseaux
Jusqu'au cœur même de la fontaine.
Elle entra dans mon cœur plus avant.
Comme elle demeurait penchée,
Son visage, je ne le pouvais point voir
Et ses cheveux enveloppaient de nuit ses épaules ;
Mais parmi les roseaux je voyais palpiter son ventre ;
Une fleur semblait éclore entre

Ses genoux qu'elle avait disjoints...
Mon cœur en moi monta jusqu'à ma gorge
Il allait jaillir dans un cri...

Le serviteur qu'on avait envoyé porter le message au Hétien, revient.

LE SERVITEUR

Maître, Urie fait dire au roi son maître...

DAVID

Il ne vient pas ?...

LE SERVITEUR

Il dit : moi j'entrerais dans le palais du roi
Et Rabba n'est pas encor prise...

DAVID

C'est bien. S'il ne veut pas venir, j'irai, moi.
Va Joab. Qu'il prépare un très simple repas
Et ce soir je serai son hôte.

Joab sort.

SCÈNE II

DAVID, JOAB

David est assis, soucieux.
Debout, Joab l'écoute.

DAVID

Il habite un petit jardin...
La table où le repas m'attendait sous la treille
était blanche.
— Vois, me dit-il, ma vigne, et quelle ombre elle
fait. —
Et l'ombre sur la table était charmante;
— Le peu de vin que j'ai me vient d'elle;
En voici, roi David; il est doux, goûtes-en, —
Et sa femme étant survenue,
(C'est Bethsabé qu'elle s'appelle),
Penchée, emplit ma coupe.
Je ne l'avais pas reconnue.
Et même tout d'abord je ne reconnaissais pas le
jardin.
Elle, vêtue ainsi me paraissait beaucoup plus
belle.
Le flot obscur de ses cheveux
Semblait palpiter autour d'elle.
Son visage inconnu souriait...
Mais le jardin, Joab! Le jardin, qu'en dirais-je?
Il n'était plus pareil à celui du matin
Empli de brumes :
C'était un lieu discret... Je bus cette coupe de vin.
J'ai bu de bien des vins, Joab, mais ce vin-là
Depuis longtemps, je crois, j'en avais soif
d'avance;
Il descendait en moi comme un bonheur profond;
Il emplissait mon cœur comme l'exaucement des
prières.
Je sentais rajeunir la force de mes reins.

Bethsabé souriait; le jardin s'emplissait de lumière.
Tout rayonnait d'amour et du bonheur d'Urie.
— Tu vois tout mon bonheur, roi David, dit-il; il est simple.
Il tient dans le creux d'un jardin;
Il tient dans le creux des murailles
De ton palais.
Contre le froid, le vent, ton palais me protège
Sans même le savoir...
Moi, l'un des moindres de tes hommes
Grand roi David, que suis-je devant toi?
— Contre les Philistins ta force me protège,
Lui dis-je; que suis-je devant Dieu, Hétien?
Pourtant je te connais, toi, l'un des plus vaillants de mes hommes,
Et du haut du palais j'avais distingué ton jardin;
Il était pâle et bleu des brumes du matin;
Le soleil s'y levait à peine...
Je n'avais pu dormir, cette nuit-là,
Et j'avais tant prié que j'étais ivre;
En montant l'escalier je trébuchais à chaque pas;
Comme encore endormi je poursuivais un rêve
Et rêvais d'un oiseau merveilleux, qui vola
De salle en salle, et je me fatiguais à le suivre;
Mais sans doute, par lui, Dieu me guida
Jusqu'à cette terrasse,
Vois! que l'on aperçoit là-bas.
Je revis mon oiseau dans ton jardin, Urie,
Sitôt que le soleil eut pénétré la brume;
Oui, l'oiseau que je poursuivais... tu souris?

Il était là — viens, montre-moi, près d'une
source;
Il avait écarté les roseaux,
Et là, tranquille,
A l'abri des regards croyait-il,
Dans l'eau tremblante
Il se baignait...
Au siège de Rabba retenu, tu n'as pu le voir, cher
Urie,
Mais Bethsabé peut-être? —
Et Bethsabé se taisait rougissante,
Et se penchant vers l'eau laissait crouler
Pour cacher sa honte ou son rire,
Devant sa face, ses cheveux.
Déjà le jour baissait; tout le jardin s'abreuvait
d'ombre...
— Urie, dis-je, pourquoi n'es-tu pas venu au
palais?
Serait-ce que Nathan... — Je n'ai pas revu
Nathan, sire;
Pas depuis mon retour du siège de Rabba.
Roi David, roi David! la fière Rabba n'est pas
prise!...
Moi je reposerais dans le palais du roi
Et ton peuple vit dans l'attente!
Non! tant que les guerriers, ô roi,
Languiront du mauvais côté des murailles,
Ma place est dans le camp, près d'eux.
J'y retourne ce soir.
— Reste avec nous encor quelques instants, Urie;

Que te faut-il pour gagner Rabba? Quelques heures —
Déjà la nuit montait; nous restions à présent sans rien dire;
Le ciel était si pur qu'on entendait la source bruire
Et que l'obscurité semblait, autour d'Urie,
Un calme approfondissement de son bonheur...

Mais le désir, Joab! le désir entre dans l'âme
Comme un étranger qui a faim.

JOAB

Eh! roi David! qui te retient? Prends cette femme.

DAVID

Oui. C'est ce que j'ai fait tout aussitôt, Joab.

Il possède un petit jardin.
La moindre de mes terrasses est plus grande!
Moi j'ai la main déjà pleine de biens
Et de bonheur à ne pouvoir en tenir plus une graine,
Mais ce petit bonheur que voilà
Je laisserais pour lui tomber à terre tous les autres...
Il est fait de si peu, ce bonheur!
Il semblait qu'il suffît à ma main de se tendre
De vouloir l'avoir pour le prendre,
De se poser dessus pour l'avoir...

JOAB

Mais Bethsabé, Seigneur ?

DAVID

Oui, Bethsabé. Eh bien ! je la croyais plus belle.
Elle était mieux ainsi dans son jardin
Quand dans la source elle se baignait nue.
Bethsabé ! Bethsabé... Es-tu la femme ? Es-tu la source ?
Objet vague de mon désir.
Joab, quand dans mes bras enfin je l'ai tenue,
Le croirais-tu, je doutais presque si ce que je désirais c'était elle,
Ou si ce n'était pas peut-être le jardin...
Et ce vin ! ce vin que j'ai bu
Le vin de sa petite vigne !
Ai-je bu tout ce qu'il en avait ? J'en ai peur.
C'est de ce vin que j'avais soif, te dis-je ;
Il semblait qu'il touchât, qu'il mouillât goutte à goutte
Un coin aride de mon cœur.
Tu te souviens : cette eau de Bethléem
Qu'Urie alla chercher pour moi un jour de fièvre ;
Seule elle pouvait étancher ma soif ; pas une autre :
J'ai soif de ce bonheur d'Urie
Et qu'il soit fait de peu de choses...

Allons Joab ! assez. Tu vois bien que c'est impossible.
Comment ne posséderais-je plus beaucoup ?

Ramène à présent cette femme
Dans le petit jardin du Hétien.
Tout irait bien si je ne désirais rien qu'elle ;
Mais... Et d'ailleurs je sais que ce soir il revient.
Il va donc retrouver tout son bonheur tranquille
Tel qu'il l'avait laissé ; du moins le croira-t-il ;
Car la trace du navire sur l'onde,
De l'homme sur le corps de la femme profonde,
Dieu lui-même, Joab, ne le connaîtrait pas.
Pourtant, Joab, aie soin que Nathan le prophète
l'ignore.

Exit Joab.

SCÈNE III

Même salle du palais.
Le roi David est seul, dans la nuit.

Est-ce toi, Joab !... Non. Rien encore.
Vais-je donc demeurer seul jusqu'à l'aurore ?
Et cette nuit, cette nuit ne finira-t-elle donc pas !
J'ai prié Dieu ; j'espérais aussitôt après m'endormir ;
Mais désormais y a-t-il encore un sommeil pour David ?
J'ai voulu prier Dieu et puis j'ai commencé à songer...
L'action qu'au plein soleil les yeux de la chair voyaient belle,

Malheur à qui, la nuit, avec l'œil de l'esprit la revoit !
A qui ne s'endort pas au sommet de l'action sitôt faite...
Mais qui, dans l'ombre, la remémore sans cesse
Ainsi qu'avec ses mains, pour le reconnaître, caresse
Un aveugle le visage d'un mort qu'il aimait.
Trouverai-je un repos quelque part ? Joab ! Dieu nous préserve
Des nuits que n'habite ni le sommeil ni l'amour.

Tout s'apprêtait à me laisser dormir ; tout se taisait
Et déjà tout dormait, dans son cœur, dans le ciel et sur terre
Et j'allais m'endormir... Le Hétien alors est venu.
Il sortait de la nuit, soudain ; et je le reconnaissais à peine ;
Seule la lampe qui veille au chevet de mon lit l'éclairait.
Comment est-il entré ? Les portes du palais sont fermées.
Il restait devant moi sans rien dire, et sans dépouiller son manteau.
— Urie, dis-je, est-ce toi ? Réponds ! Pourquoi viens-tu ? Que viens-tu faire ?
Avez-vous triomphé de Rabba ? Non, sans doute.
Je le saurais déjà... Enlève ton manteau. Je ne puis voir tes yeux. Parle-moi.
Mais parle donc ! Pourquoi te tenir immobile ?

Qui t'a laissé venir ? Que me veux-tu ?
Ta Bethsabé t'attend. Ta place est dans son lit près d'elle,
Dans ton jardin. Va-t'en. Retournes-y. Je veux dormir.

Pourquoi restait-il sans rien dire ?
Que voulait-il de moi ? Des présents ? Il les a toujours refusés...
Et même il n'a pas voulu boire
La coupe de vin doux que, le voyant rester, je lui tendais.
Et sa présence, dans la nuit, se prolongeait ;
Il me semblait parfois que la lampe, au chevet de mon lit allait s'éteindre,
Ou que le Hétien, dans l'ombre, reculait...

Était-il bien parti lorsque est arrivé le prophète
Nathan ?... Ah ! je ne dormirai pas cette nuit...
Je te l'avais bien dit ! Nathan était à craindre...
Mais, Joab, à présent je le demande à Dieu : que fera l'homme
Si derrière chacun de ses désirs se cache Dieu ?

Comme s'il arrachait chacun de ses mots de moi-même,
Dans la nuit, Nathan a commencé de parler.
Qu'a-t-il dit ! Je voudrais effacer en moi ses paroles...
Il a parlé d'un pauvre qui ne possédait rien qu'une brebis.

Une brebis, te dis-je, qu'il avait achetée et nourrie
Qu'il avait vue grandir, qui dormait sur son sein,
qu'il aimait.
— Assez, Nathan ! Je sais ; c'est Bethsabé qu'elle
s'appelle.
Tais-toi. — Mais lui, comme sans m'écouter
continuait :
— Près du pauvre homme un homme très riche
habitait,
Qui possédait des biens en si grand nombre
Et tel bétail qu'on ne le pouvait point compter.
Un voyageur errant vint chez le riche...
— Assez, Nathan ! Assez ! Je reconnais en lui mon
désir...
— Il avait faim. — Je n'ai su comment le nourrir.
— Le riche alors, qui possédait des biens en si
grand nombre...
— Rien de ce que j'avais ne plaisait plus à mon
désir.
— Fit comme s'il fermait les yeux sur ses biens.
Il alla vers le bien du pauvre. — C'était là ce que
le voyageur réclamait ;
Rien d'autre, je te le dis, ne l'aurait pu satisfaire.
En vain j'aurais voulu le faire taire ;
Il parlait aussi haut qu'un roi dans la maison.
— La brebis que le pauvre avait pour tout bien, il
l'a prise.
— Assez, Nathan ! Assez !... Ton riche a mérité la
mort !
— La brebis que le pauvre avait pour tout bien, il
l'a prise...

— Ce n'est même pas là ce que le désir voyageur désirait...
Et vois ! Sa Bethsabé, je la lui ai rendue.
Je ne la désirais qu'avec l'ombre de son jardin.
Ce que je désirais, c'était la paix d'Urie, parmi ces choses
Si simples et que pour me servir il laissait...
Moi, je veux bien me repentir, mais qu'ai-je fait ?
Du temps de mon désir, Bethsabé
Tournait devant mes yeux et je ne distinguais plus qu'elle,
Mais à présent... Est-ce toi, Joab ?

Entre Joab qui se tient tout droit, dans l'ombre, devant la porte, sans parler.

Oui, c'est toi.
Enfin ! Je t'attendais autant que l'aube.
Tu reviens de Rabba ? Le Hétien est-il de retour avec toi ?
La ville est prise ? Non. Car tu m'aurais déjà parlé sans quoi.
Qu'avez-vous fait là-bas ? As-tu bien suivi tous mes ordres ?
Ne t'avais-je pas dit... Urie était rangé parmi les braves ;
Courageux entre tous, il devait être au premier rang...
Tu ne dis rien... L'as-tu fait s'approcher tout près des murailles ?

Trop près... puis, tous, vous enfuyant, l'avez laissé...

Tais-toi, Joab ! Cela Dieu même ne doit pas l'entendre

Et je ne dois pas le savoir, de peur de ne plus pouvoir l'oublier...

Non ! Non ! Dis-moi qu'il dort dans son jardin, près de sa vigne !

L'aube, qui commence de pénétrer dans le palais, éclaire faiblement Joab et permet de distinguer, derrière lui, une femme voilée.

Qu'est-ce donc que tu traînes après toi, dans l'ombre et tout en deuil ?...

Bethsabé !...

Va-t'en ! Remporte-la ! je t'ai dit que je ne veux plus la voir...

Je la hais !

LE RETOUR
DE L'ENFANT PRODIGUE

à Arthur Fontaine

LE RETOUR DE L'ENFANT PRODIGUE a d'abord paru dans *Vers et Prose*, numéro de mars à mai 1907.

J'ai peint ici, pour ma secrète joie, comme on faisait dans les anciens triptyques, la parabole que Notre-Seigneur Jésus-Christ nous conta. Laissant éparse et confondue la double inspiration qui m'anime, je ne cherche à prouver la victoire sur moi d'aucun dieu — ni la mienne. Peut-être cependant, si le lecteur exige de moi quelque piété, ne la chercherait-il pas en vain dans ma peinture, où, comme un donateur dans le coin du tableau, je me suis mis à genoux, faisant pendant au fils prodigue, à la fois comme lui souriant et le visage trempé de larmes.

L'ENFANT PRODIGUE

Lorsqu'après une longue absence, fatigué de sa fantaisie et comme désépris de lui-même, l'enfant prodigue, du fond de ce dénûment qu'il cherchait, songe au visage de son père, à cette chambre point étroite où sa mère au-dessus de son lit se penchait, à ce jardin abreuvé d'eau courante, mais clos et d'où toujours il désirait s'évader, à l'économe frère aîné qu'il n'a jamais aimé, mais qui détient encore dans l'attente cette part de ses biens que, prodigue, il n'a pu dilapider — l'enfant s'avoue qu'il n'a pas trouvé le bonheur, ni même su prolonger bien longtemps cette ivresse qu'à défaut de bonheur il cherchait. — Ah ! pense-t-il, si mon père, d'abord irrité contre moi, m'a cru mort, peut-être, malgré mon péché, se réjouirait-il de me revoir ; ah ! revenant à lui bien humblement, le front bas et couvert de cendre, si, m'inclinant devant lui, lui disant : « Mon père, j'ai péché contre le ciel et contre toi », que ferai-je si, de sa main me relevant, il me dit : « Entre dans la maison, mon fils »?... Et l'enfant déjà pieusement s'achemine.

Lorsqu'au défaut de la colline il aperçoit enfin les toits fumants de la maison, c'est le soir; mais il attend les ombres de la nuit pour voiler un peu sa misère. Il entend au loin la voix de son père; ses genoux fléchissent; il tombe et couvre de ses mains son visage, car il a honte de sa honte, sachant qu'il est le fils légitime pourtant. Il a faim; il n'a plus, dans un pli de son manteau crevé, qu'une poignée de ces glands doux, dont il faisait, pareil aux pourceaux qu'il gardait, sa nourriture. Il voit les apprêts du souper. Il distingue s'avancer sur le perron sa mère... il n'y tient plus, descend en courant la colline, s'avance dans la cour aboyé par son chien qui ne le reconnaît pas. Il veut parler aux serviteurs, mais ceux-ci méfiants s'écartent, vont prévenir le maître; le voici.

Sans doute il attendait le fils prodigue, car il le reconnaît aussitôt. Ses bras s'ouvrent; l'enfant alors devant lui s'agenouille et, cachant son front d'un bras, crie à lui, levant vers le pardon sa main droite :

— Mon père! mon père, j'ai gravement péché contre le ciel et contre toi; je ne suis plus digne que tu m'appelles; mais du moins, comme un de tes serviteurs, le dernier, dans un coin de notre maison, laisse-moi vivre...

Le père le relève et le presse :

— Mon fils ! que le jour où tu reviens à moi soit béni ! — et sa joie, qui de son cœur déborde, pleure ; il relève la tête de dessus le front de son fils qu'il baisait, se tourne vers les serviteurs :

— Apportez la plus belle robe ; mettez des souliers à ses pieds, un anneau précieux à son doigt. Cherchez dans nos étables le veau le plus gras, tuez-le ; préparez un festin de joie, car le fils que je disais mort est vivant.

Et comme la nouvelle déjà se répand, il court ; il ne veut pas laisser un autre dire :

— Mère, le fils que nous pleurions nous est rendu.

La joie de tous montant comme un cantique fait le fils aîné soucieux. S'assied-il à la table commune, c'est que le père en l'y invitant et en le pressant l'y contraint. Seul entre tous les convives, car jusqu'au moindre serviteur est convié, il montre un front courroucé : Au pécheur repenti, pourquoi plus d'honneur qu'à lui-même, qu'à lui qui n'a jamais péché ? Il préfère à l'amour le bon ordre. S'il consent à paraître au festin, c'est que, faisant crédit à son frère, il peut lui prêter joie pour un soir ; c'est aussi que son père et sa mère lui ont promis de morigéner le prodigue, demain, et que lui-même il s'apprête à le sermonner gravement.

Les torches fument vers le ciel. Le repas est fini. Les serviteurs ont desservi. A présent, dans la nuit où pas un souffle ne s'élève, la maison fatiguée, âme après âme, va s'endormir. Mais pourtant, dans la chambre à côté de celle du prodigue, je sais un enfant, son frère cadet, qui toute la nuit jusqu'à l'aube va chercher en vain le sommeil.

LA RÉPRIMANDE DU PÈRE

Mon Dieu, comme un enfant je m'agenouille devant vous aujourd'hui, le visage trempé de larmes. Si je me remémore et transcris ici votre pressante parabole, c'est que je sais quel était votre enfant prodigue ; c'est qu'en lui je me vois ; c'est que j'entends en moi, parfois et répète en secret ces paroles que, du fond de sa grande détresse, vous lui faites crier :

— Combien de mercenaires de mon père ont chez lui le pain en abondance ; et moi je meurs de faim !

J'imagine l'étreinte du Père ; à la chaleur d'un tel amour mon cœur fond. J'imagine une précédente détresse, même ; ah ! j'imagine tout ce qu'on veut. Je crois cela ; je suis celui-là même dont le cœur bat quand, au défaut de la colline, il revoit les toits bleus de la maison qu'il a quittée. Qu'est-ce donc que j'attends pour m'élancer vers la demeure ; pour entrer ? — On m'attend. Je vois déjà le veau gras qu'on apprête... Arrêtez ! ne dressez pas trop vite le festin ! — Fils prodigue, je songe à toi ; dis-moi d'abord ce que t'a dit le Père, le lendemain, après le festin du revoir. Ah ! malgré que le fils aîné vous souffle, Père, puissé-je entendre votre voix, parfois, à travers ses paroles !

— Mon fils, pourquoi m'as-tu quitté ?

— Vous ai-je vraiment quitté ? Père ! n'êtes-vous pas partout ? Jamais je n'ai cessé de vous aimer.

— N'ergotons pas. J'avais une maison qui t'enfermait. Elle était élevée pour toi. Pour que ton âme y puisse trouver un abri, un luxe digne d'elle, du confort, un emploi, des générations travaillèrent. Toi, l'héritier, le fils, pourquoi t'être évadé de la Maison ?

— Parce que la Maison m'enfermait. La Maison, ce n'est pas Vous, mon Père.

— C'est moi qui l'ai construite, et pour toi.

— Ah ! Vous n'avez pas dit cela, mais mon frère. Vous, vous avez construit toute la terre, et la Maison et ce qui n'est pas la Maison. La Maison, d'autres que vous l'ont construite ; en votre nom, je sais, mais d'autres que vous.

— L'homme a besoin d'un toit sous lequel reposer sa tête. Orgueilleux ! Penses-tu pouvoir dormir en plein vent ?

— Y faut-il tant d'orgueil ? de plus pauvres que moi l'ont bien fait.

— Ce sont les pauvres. Pauvre, tu ne l'es pas. Nul ne peut abdiquer sa richesse. Je t'avais fait riche entre tous.

— Mon père, vous savez bien qu'en partant j'avais emporté tout ce que j'avais pu de mes richesses. Que m'importent les biens qu'on ne peut emporter avec soi ?

— Toute cette fortune emportée, tu l'as dépensée follement.

— J'ai changé votre or en plaisirs, vos préceptes en fantaisie, ma chasteté en poésie, et mon austérité en désirs.

— Était-ce pour cela que tes parents économes s'employèrent à distiller en toi tant de vertu ?

— Pour que je brûle d'une flamme plus belle, peut-être, une nouvelle ferveur m'allumant.

— Songe à cette pure flamme que vit Moïse, sur le buisson sacré : elle brillait mais sans consumer.

— J'ai connu l'amour qui consume.

— L'amour que je veux t'enseigner rafraîchit. Au bout de peu de temps, que t'est-il resté, fils prodigue ?

— Le souvenir de ces plaisirs.

— Et le dénûment qui les suit.

— Dans ce dénûment, je me suis senti près de vous, Père.

— Fallait-il la misère pour te pousser à revenir à moi ?

— Je ne sais ; je ne sais. C'est dans l'aridité du désert que j'ai le mieux aimé ma soif.

— Ta misère te fit mieux sentir le prix des richesses.

— Non, pas cela ! Ne m'entendez-vous pas,

mon père? Mon cœur, vidé de tout, s'emplit d'amour. Au prix de tous mes biens, j'avais acheté la ferveur.

— Étais-tu donc heureux loin de moi?

— Je ne me sentais pas loin de vous.

— Alors qu'est-ce qui t'a fait revenir? Parle.

— Je ne sais. Peut-être la paresse.

— La paresse, mon fils! Eh quoi! Ce ne fut pas l'amour?

— Père, je vous l'ai dit, je ne vous aimai jamais plus qu'au désert. Mais j'étais las, chaque matin, de poursuivre ma subsistance. Dans la maison, du moins, on mange bien.

— Oui, des serviteurs y pourvoient. Ainsi, ce qui t'a ramené, c'est la faim.

— Peut-être aussi la lâcheté, la maladie... A la longue cette hasardeuse nourriture m'affaiblit; car je me nourrissais de fruits sauvages, de sauterelles et de miel. Je supportais de plus en plus mal l'inconfort qui d'abord attisait ma ferveur. La nuit, quand j'avais froid, je songeais que mon lit était bien bordé chez mon père; quand je jeûnais, je songeais que, chez mon père, l'abondance des mets servis outrepassait toujours ma faim. J'ai fléchi; pour lutter plus longtemps, je ne me sentais plus assez courageux, assez fort, et cependant...

— Donc le veau gras d'hier t'a paru bon?

Le fils prodigue se jette en sanglotant le visage contre terre:

— Mon père! mon père! Le goût sauvage des

glands doux demeure malgré tout dans ma bouche. Rien n'en saurait couvrir la saveur.

— Pauvre enfant ! — reprend le père qui le relève, — je t'ai parlé peut-être durement. Ton frère l'a voulu ; ici c'est lui qui fait la loi. C'est lui qui m'a sommé de te dire : « Hors la Maison, point de salut pour toi. » Mais écoute : C'est moi qui t'ai formé ; ce qui est en toi, je le sais. Je sais ce qui te poussait sur les routes ; je t'attendais au bout. Tu m'aurais appelé... j'étais là.

— Mon père ! j'aurais donc pu vous retrouver sans revenir ?...

— Si tu t'es senti faible, tu as bien fait de revenir. Va maintenant ; rentre dans la chambre que j'ai fait préparer pour toi. Assez pour aujourd'hui ; repose-toi ; demain tu pourras parler à ton frère.

LA RÉPRIMANDE DU FRÈRE AÎNÉ

L'enfant prodigue tâche d'abord de le prendre de haut.

— Mon grand frère, commence-t-il, nous ne nous ressemblons guère. Mon frère, nous ne nous ressemblons pas.

Le frère aîné :

— C'est ta faute.

— Pourquoi la mienne?

— Parce que moi je suis dans l'ordre; tout ce qui s'en distingue est fruit ou semence d'orgueil.

— Ne puis-je avoir de distinctif que des défauts?

— N'appelle qualité que ce qui te ramène à l'ordre, et tout le reste, réduis-le.

— C'est cette mutilation que je crains. Ceci aussi, que tu vas supprimer, vient du Père.

— Eh ! non pas supprimer : réduire, t'ai-je dit.

— Je t'entends bien. C'est tout de même ainsi que j'avais réduit mes vertus.

— Et c'est aussi pourquoi maintenant je les retrouve. Il te les faut exagérer. Comprends-moi bien : ce n'est pas une diminution, c'est une exaltation de toi que je propose, où les plus divers, les plus insubordonnés éléments de ta chair et de ton esprit doivent symphoniquement concourir, où le pire de toi doit alimenter le meilleur, où le meilleur doit se soumettre à...

— C'est une exaltation aussi que je cherchais, que je trouvais dans le désert — et peut-être pas très différente de celle que tu me proposes.

— A vrai dire, c'est te l'imposer que je voudrais.

— Notre Père ne parlait pas si durement.

— Je sais ce que t'a dit le Père. C'est vague. Il ne s'explique plus très clairement ; de sorte qu'on lui fait dire ce qu'on veut. Mais moi je connais bien sa pensée. Auprès des serviteurs j'en reste l'unique interprète et qui veut comprendre le Père doit m'écouter.

— Je l'entendais très aisément sans toi.

— Cela te semblait ; mais tu comprenais mal. Il n'y a pas plusieurs façons de comprendre le Père ; il n'y a pas plusieurs façons de l'écouter. Il n'y a pas plusieurs façons de l'aimer ; afin que nous soyons unis dans son amour.

— Dans sa Maison.

— Cet amour y ramène ; tu le vois bien, puisque te voici de retour. Dis-moi, maintenant : qu'est-ce qui te poussait à partir ?

— Je sentais trop que la Maison n'est pas tout l'univers. Moi-même je ne suis pas tout entier dans celui que vous vouliez que je fusse. J'imaginais malgré moi d'autres cultures, d'autres terres, et des routes pour y courir, des routes non tracées ; j'imaginais en moi l'être neuf que je sentais s'y élancer. Je m'évadai.

— Songe à ce qui serait advenu si j'avais comme toi délaissé la Maison du Père. Les serviteurs et les bandits auraient pillé tout notre bien.

— Peu m'importait alors, puisque j'entrevoyais d'autres biens...

— Que s'exagérait ton orgueil. Mon frère, l'indiscipline a été. De quel chaos l'homme est sorti, tu l'apprendras si tu ne le sais pas encore. Il en est mal sorti ; de tout son poids naïf il y retombe dès que l'Esprit ne le soulève plus au-dessus. Ne l'apprends pas à tes dépens : les éléments bien ordonnés qui te composent n'attendent qu'un acquiescement, qu'un affaiblissement de ta part pour retourner à l'anarchie... Mais ce que tu ne sauras jamais, c'est la longueur de temps qu'il a fallu à l'homme pour élaborer l'homme. A présent que le modèle est obtenu, tenons-nous-y. « Tiens ferme ce que tu as », dit l'Esprit à l'Ange de l'Église[1], et il ajoute : « afin que personne ne prenne ta couronne. » *Ce que tu as,* c'est ta couronne, c'est cette royauté sur les autres et sur toi-même. Ta couronne, l'usurpateur la guette ; il est partout ; il rôde autour de toi, en toi. *Tiens ferme,* mon frère ! Tiens ferme.

1. *Apoc.*, III, 2.

— J'ai depuis trop longtemps lâché prise, je ne peux plus refermer ma main sur mon bien.

— Si, si ; je t'aiderai. J'ai veillé sur ce bien durant ton absence.

— Et puis, cette parole de l'Esprit, je la connais ; tu ne la citais pas tout entière.

— Il continue ainsi, en effet : « Celui qui vaincra, j'en ferai une colonne dans le temple de mon Dieu, et il n'en sortira plus. »

— « Il n'en sortira plus. » C'est là précisément ce qui me fait peur.

— Si c'est pour son bonheur.

— Oh ! j'entends bien. Mais dans ce temple, j'y étais...

— Tu t'es mal trouvé d'en sortir, puisque tu as voulu y rentrer.

— Je sais ; je sais. Me voici de retour ; j'en conviens.

— Quel bien peux-tu chercher ailleurs, qu'ici tu ne trouves en abondance ? ou mieux : c'est ici seulement que sont tes biens.

— Je sais que tu m'as gardé des richesses.

— Ceux de tes biens que tu n'as pas dilapidés, c'est-à-dire cette part qui nous est commune, à nous tous : les biens fonciers.

— Ne possédé-je donc plus rien en propre ?

— Si ; cette part spéciale de dons que notre Père consentira peut-être encore à t'accorder.

— C'est à cela seul que je tiens ; je consens à ne posséder que cela.

— Orgueilleux ! Tu ne seras pas consulté.

Entre nous, cette part est chanceuse; je te conseille plutôt d'y renoncer. Cette part de dons personnels, c'est elle déjà qui fit ta perte; ce sont ces biens que tu dilapidas aussitôt.

— Les autres je ne les pouvais pas emporter.

— Aussi vas-tu les retrouver intacts. Assez pour aujourd'hui. Entre dans le repos de la Maison.

— Cela va bien parce que je suis fatigué.

— Bénie soit ta fatigue, alors ! A présent dors. Demain ta mère te parlera.

LA MÈRE

Prodigue enfant, dont l'esprit, aux propos de ton frère, regimbe encore, laisse à présent ton cœur parler. Qu'il t'est doux, à demi couché aux pieds de ta mère assise, le front caché dans ses genoux, de sentir sa caressante main incliner ta nuque rebelle !

— Pourquoi m'as-tu laissée si longtemps ?

Et comme tu ne réponds que par des larmes :

— Pourquoi pleurer à présent, mon fils ? Tu m'es rendu. Dans l'attente de toi j'ai versé toutes mes larmes.

— M'attendiez-vous encore ?

— Jamais je n'ai cessé de t'espérer. Avant de m'endormir, chaque soir, je pensais : s'il revient cette nuit, saura-t-il bien ouvrir la porte ? et j'étais longue à m'endormir. Chaque matin, avant de m'éveiller tout à fait, je pensais : Est-ce pas aujourd'hui qu'il revient ? Puis je priais. J'ai tant prié, qu'il te fallait bien revenir.

— Vos prières ont forcé mon retour.

— Ne souris pas de moi, mon enfant.

— O mère! je reviens à vous très humble. Voyez comme je mets mon front plus bas que votre cœur! Il n'est plus une de mes pensées d'hier qui ne devienne vaine aujourd'hui. A peine si je comprends, près de vous, pourquoi j'étais parti de la maison.

— Tu ne partiras plus?

— Je ne puis plus partir.

— Qu'est-ce qui t'attirait donc au dehors?

— Je ne veux plus y songer: Rien... Moi-même.

— Pensais-tu donc être heureux loin de nous?

— Je ne cherchais pas le bonheur.

— Que cherchais-tu?

— Je cherchais... qui j'étais.

— Oh! fils de tes parents, et frère entre tes frères.

— Je ne ressemblais pas à mes frères. N'en parlons plus; me voici de retour.

— Si; parlons-en encore: Ne crois pas si différents de toi, tes frères.

— Mon seul soin désormais c'est de ressembler à vous tous.

— Tu dis cela comme avec résignation.

— Rien n'est plus fatigant que de réaliser sa dissemblance. Ce voyage à la fin m'a lassé.

— Te voici tout vieilli, c'est vrai.

— J'ai souffert.

— Mon pauvre enfant! Sans doute ton lit n'était pas fait tous les soirs, ni pour tous tes repas la table mise?

— Je mangeais ce que je trouvais et souvent ce n'était que fruits verts ou gâtés dont ma faim faisait nourriture.

— N'as-tu souffert du moins que de la faim ?

— Le soleil du milieu du jour, le vent froid du cœur de la nuit, le sable chancelant du désert, les broussailles où mes pieds s'ensanglantaient, rien de tout cela ne m'arrêta, mais — je ne l'ai pas dit à mon frère — j'ai dû servir...

— Pourquoi l'avoir caché ?

— De mauvais maîtres qui malmenaient mon corps, exaspéraient mon orgueil, et me donnaient à peine de quoi manger. C'est alors que j'ai pensé : Ah ! servir pour servir !... En rêve j'ai revu la maison ; je suis rentré.

Le fils prodigue baisse à nouveau le front que tendrement sa mère caresse.

— Qu'est-ce que tu vas faire à présent ?

— Je vous l'ai dit : m'occuper de ressembler à mon grand frère ; régir nos biens ; comme lui prendre femme...

— Sans doute tu penses à quelqu'un, en disant cela.

— Oh ! n'importe laquelle sera la préférée, du moment que vous l'aurez choisie. Faites comme vous avez fait pour mon frère.

— J'eusse voulu la choisir selon ton cœur.

— Qu'importe ! mon cœur avait choisi. Je résigne un orgueil qui m'avait emporté loin de vous. Guidez mon choix. Je me soumets, vous dis-je. Je soumettrai de même mes enfants ; et ma tentative ainsi ne me paraîtra plus si vaine.

— Écoute ; il est à présent un enfant dont tu pourrais déjà t'occuper.

— Que voulez-vous dire, et de qui parlez-vous ?

— De ton frère cadet, qui n'avait pas dix ans quand tu partis, que tu n'as reconnu qu'à peine, et qui pourtant...

— Achevez, mère ; de quoi vous inquiéter, à présent ?

— En qui pourtant tu aurais pu te reconnaître, car il est tout pareil à ce que tu étais en partant.

— Pareil à moi ?

— A celui que tu étais, te dis-je, non pas encore hélas ! à celui que tu es devenu.

— Qu'il deviendra.

— Qu'il faut le faire aussitôt devenir. Parle-lui ; sans doute il t'écoutera, toi, prodigue. Dis-lui bien quel déboire était sur la route ; épargne-lui...

— Mais qu'est-ce qui vous fait vous alarmer ainsi sur mon frère ? Peut-être simplement un rapport de traits...

— Non, non ; la ressemblance entre vous deux est plus profonde. Je m'inquiète à présent pour lui de ce qui ne m'inquiétait d'abord pas assez pour toi-même. Il lit trop, et ne préfère pas toujours les bons livres.

— N'est-ce donc que cela ?

— Il est souvent juché sur le plus haut point

du jardin, d'où l'on peut voir le pays, tu sais, par-dessus les murs.

— Je m'en souviens. Est-ce là tout?

— Il est bien moins souvent auprès de nous que dans la ferme.

— Ah! qu'y fait-il?

— Rien de mal. Mais ce n'est pas les fermiers, c'est les goujats les plus distants de nous qu'il fréquente, et ceux qui ne sont pas du pays. Il en est un surtout, qui vient de loin, qui lui raconte des histoires.

— Ah! le porcher.

— Oui. Tu le connaissais?... Pour l'écouter, ton frère chaque soir le suit dans l'étable des porcs; et il ne revient que pour dîner, sans appétit, et les vêtements pleins d'odeur. Les remontrances n'y font rien; il se raidit sous la contrainte. Certains matins, à l'aube, avant qu'aucun de nous ne soit levé, il court accompagner jusqu'à la porte ce porcher quand il sort paître son troupeau.

— Lui, sait qu'il ne doit pas sortir.

— Tu le savais aussi! Un jour il m'échappera, j'en suis sûre. Un jour il partira...

— Non, je lui parlerai, mère. Ne vous alarmez pas.

— De toi, je sais qu'il écoutera bien des choses. As-tu vu comme il te regardait le premier soir? De quel prestige tes haillons étaient couverts! puis la robe de pourpre dont le père t'a revêtu. J'ai craint qu'en son esprit il ne mêle un peu l'un à l'autre, et que ce qui l'attire ici, ce ne soit d'abord le haillon. Mais cette pensée à présent me paraît folle ; car enfin, si toi, mon enfant, tu avais pu prévoir tant de misère, tu ne nous aurais pas quittés, n'est-ce pas ?

— Je ne sais plus comment j'ai pu vous quitter, vous, ma mère.

— Eh bien ! tout cela, dis-le-lui.

— Tout cela je le lui dirai demain soir. Embrassez-moi maintenant sur le front comme lorsque j'étais petit enfant et que vous me regardiez m'endormir. J'ai sommeil.

— Va dormir. Je m'en vais prier pour vous tous.

DIALOGUE AVEC LE FRÈRE PUÎNÉ

C'est, à côté de celle du prodigue, une chambre point étroite aux murs nus. Le prodigue, une lampe à la main, s'avance près du lit où son frère puîné repose, le visage tourné vers le mur. Il commence à voix basse, afin, si l'enfant dort, de ne pas le troubler dans son sommeil.

— Je voudrais te parler, mon frère.
— Qu'est-ce qui t'en empêche ?
— Je croyais que tu dormais.
— On n'a pas besoin de dormir pour rêver.
— Tu rêvais ; à quoi donc ?
— Que t'importe ! Si déjà moi je ne comprends pas mes rêves, ce n'est pas toi, je pense, qui me les expliqueras.
— Ils sont donc bien subtils ? Si tu me les racontais, j'essaierais.
— Tes rêves, est-ce que tu les choisis ? Les miens sont ce qu'ils veulent, et plus libres que moi... Qu'est-ce que tu viens faire ici ? Pourquoi me déranger dans mon sommeil ?

— Tu ne dors pas, et je viens te parler doucement.

— Qu'as-tu à me dire ?

— Rien, si tu le prends sur ce ton.

— Alors adieu.

Le prodigue va vers la porte, mais pose à terre la lampe qui n'éclaire plus que faiblement la pièce, puis, revenant, s'assied au bord du lit et, dans l'ombre, caresse longuement le front détourné de l'enfant.

— Tu me réponds plus durement que je ne fis jamais à ton frère. Pourtant je protestais aussi contre lui.

L'enfant rétif s'est redressé brusquement.

— Dis : c'est le frère qui t'envoie ?

— Non, petit ; pas lui, mais notre mère.

— Ah ! Tu ne serais pas venu de toi-même.

— Mais je viens pourtant en ami.

A demi soulevé sur son lit, l'enfant regarde fixement le prodigue.

— Comment quelqu'un des miens saurait-il être mon ami ?

— Tu te méprends sur notre frère...

— Ne me parle pas de lui ! Je le hais... Tout mon cœur, contre lui, s'impatiente. Il est cause que je t'ai répondu durement.

— Comment cela ?

— Tu ne comprendrais pas.

— Dis cependant...

Le prodigue berce son frère contre lui, et déjà l'enfant adolescent s'abandonne :

— Le soir de ton retour, je n'ai pas pu dormir. Toute la nuit je songeais : J'avais un autre frère, et je ne le savais pas... C'est pour cela que mon cœur a battu si fort, quand, dans la cour de la maison, je t'ai vu t'avancer couvert de gloire.

— Hélas ! j'étais couvert alors de haillons.

— Oui, je t'ai vu ; mais déjà glorieux. Et j'ai vu ce qu'a fait notre père : il a mis à ton doigt un anneau, un anneau tel que n'en a pas notre frère. Je ne voulais interroger à ton sujet personne ; je savais seulement que tu revenais de très loin, et ton regard, à table...

— Étais-tu du festin ?

— Oh ! je sais bien que tu ne m'as pas vu ; durant tout le repas tu regardais au loin sans rien voir. Et, que le second soir tu aies été parler au père, c'était bien, mais le troisième...

— Achève.

— Ah ! ne fût-ce qu'un mot d'amour tu aurais pourtant bien pu me le dire !

— Tu m'attendais donc ?

— Tellement ! Penses-tu que je haïrais à ce point notre frère si tu n'avais pas été causer et si longuement avec lui ce soir-là ? Qu'est-ce que vous avez pu vous dire ? Tu sais bien, si tu me ressembles, que tu ne peux rien avoir de commun avec lui.

— J'avais eu de graves torts envers lui.

— Se peut-il ?

— Du moins envers notre père et notre mère. Tu sais que j'avais fui de la maison.

— Oui, je sais. Il y a longtemps n'est-ce pas ?

— A peu près quand j'avais ton âge.

— Ah !... Et c'est là ce que tu appelles tes torts ?

— Oui, ce fut là mon tort, mon péché.

— Quand tu partis, sentais-tu que tu faisais mal ?

— Non ; je sentais en moi comme une obligation de partir.

— Que s'est-il donc passé depuis ? pour changer ta vérité d'alors en erreur.

— J'ai souffert.

— Et c'est cela qui te fait dire : j'avais tort ?

— Non, pas précisément : c'est cela qui m'a fait réfléchir.

— Auparavant tu n'avais donc pas réfléchi ?

— Si, mais ma débile raison s'en laissait imposer par mes désirs.

— Comme plus tard par la souffrance. De sorte qu'aujourd'hui, tu reviens... vaincu.

— Non, pas précisément ; résigné.

— Enfin, tu as renoncé à être celui que tu voulais être.

— Que mon orgueil me persuadait d'être.

L'enfant reste un instant silencieux, puis brusquement sanglote et crie :

— Mon frère ! je suis celui que tu étais en partant. Oh ! dis : n'as-tu donc rencontré rien que de décevant sur la route ? Tout ce que je pressens au dehors, de différent d'ici, n'est-ce donc que mirage ? tout ce que je sens en moi de neuf, que folie ? Dis : qu'as-tu rencontré de désespérant sur ta route ? Oh ! qu'est-ce qui t'a fait revenir ?

— La liberté que je cherchais, je l'ai perdue ; captif, j'ai dû servir.

— Je suis captif ici.

— Oui, mais servir de mauvais maîtres ; ici, ceux que tu sers sont tes parents.

— Ah ! servir pour servir, n'a-t-on pas cette liberté de choisir du moins son servage ?

— Je l'espérais. Aussi loin que mes pieds m'ont porté, j'ai marché, comme Saül à la poursuite de ses ânesses, à la poursuite de mon désir ; mais, où l'attendait un royaume, c'est la misère que j'ai trouvée. Et pourtant...

— Ne t'es-tu pas trompé de route ?

— J'ai marché devant moi.

— En es-tu sûr ? Et pourtant il y a d'autres royaumes, encore, et des terres sans roi, à découvrir.

— Qui te l'a dit ?

— Je le sais. Je le sens. Il me semble déjà que j'y domine.

— Orgueilleux !

— Ah ! ah ! ça c'est ce que t'a dit notre frère. Pourquoi, toi, me le redis-tu maintenant ? Que n'as-tu gardé cet orgueil ! Tu ne serais pas revenu.

— Je n'aurais donc pas pu te connaître.

— Si, si, là-bas, où je t'aurais rejoint, tu m'aurais reconnu pour ton frère ; même il me semble encore que c'est pour te retrouver que je pars.

— Que tu pars ?

— Ne l'as-tu pas compris ? Ne m'encourages-tu pas toi-même à partir ?

— Je voudrais t'épargner le retour ; mais en t'épargnant le départ.

— Non, non, ne me dis pas cela ; non ce n'est pas cela que tu veux dire. Toi aussi, n'est-ce pas, c'est comme un conquérant que tu partis.

— Et c'est ce qui me fit paraître plus dur le servage.

— Alors, pourquoi t'es-tu soumis ? Étais-tu si fatigué déjà ?

— Non, pas encore ; mais j'ai douté.

— Que veux-tu dire ?

— Douté de tout, de moi ; j'ai voulu m'arrêter, m'attacher enfin quelque part ; le confort que me promettait ce maître m'a tenté... oui, je le sens bien à présent ; j'ai failli.

Le prodigue incline la tête et cache son regard dans ses mains.

— Mais d'abord ?

— J'avais marché longtemps à travers la grande terre indomptée.

— Le désert ?

— Ce n'était pas toujours le désert.

— Qu'y cherchais-tu ?

— Je ne le comprends plus moi-même.

— Lève-toi de mon lit. Regarde, sur la table, à mon chevet, là, près de ce livre déchiré.

— Je vois une grenade ouverte.

— C'est le porcher qui me la rapporta l'autre soir, après n'être pas rentré de trois jours.

— Oui, c'est une grenade sauvage.

— Je le sais ; elle est d'une âcreté presque affreuse ; je sens pourtant que, si j'avais suffisamment soif, j'y mordrais.

— Ah ! je peux donc te le dire à présent : c'est cette soif que dans le désert je cherchais.

— Une soif dont seul ce fruit non sucré désaltère...

— Non ; mais il fait aimer cette soif.

— Tu sais où le cueillir ?

— C'est un petit verger abandonné, où l'on arrive avant le soir. Aucun mur ne le sépare plus du désert. Là coulait un ruisseau ; quelques fruits demi-mûrs pendaient aux branches.

— Quels fruits ?

— Les mêmes que ceux de notre jardin ; mais sauvages. Il avait fait très chaud tout le jour.

— Écoute ; sais-tu pourquoi je t'attendais ce soir ? C'est avant la fin de la nuit que je pars. Cette nuit ; cette nuit, dès qu'elle pâlira... J'ai ceint mes reins, j'ai gardé cette nuit mes sandales.

— Quoi ! ce que je n'ai pas pu faire, tu le feras ?...

— Tu m'as ouvert la route, et de penser à toi me soutiendra.

— A moi de t'admirer ; à toi de m'oublier, au contraire. Qu'emportes-tu ?

— Tu sais bien que, puîné, je n'ai point part à l'héritage. Je pars sans rien.

— C'est mieux.

— Que regardes-tu donc à la croisée ?

— Le jardin où sont couchés nos parents morts.

— Mon frère... (et l'enfant, qui s'est levé du lit, pose, autour du cou du prodigue, son bras qui se fait aussi doux que sa voix) — Pars avec moi.

— Laisse-moi ! laisse-moi ! je reste à consoler notre mère. Sans moi tu seras plus vaillant. Il est temps à présent. Le ciel pâlit. Pars sans bruit. Allons ! embrasse-moi, mon jeune frère : tu emportes tous mes espoirs. Sois fort ; oublie-nous ; oublie-moi. Puisses-tu ne pas revenir... Descends doucement. Je tiens la lampe...

— Ah ! donne-moi la main jusqu'à la porte.

— Prends garde aux marches du perron...

DU MÊME AUTEUR

Aux Éditions Gallimard

Poésie

LES CAHIERS ET LES POÉSIES D'ANDRÉ WALTER.
AMYNTAS.

Soties

LES CAVES DU VATICAN.
LE PROMÉTHÉE MAL ENCHAÎNÉ.
PALUDES.

Récits

ISABELLE.
LA SYMPHONIE PASTORALE.
L'ÉCOLE DES FEMMES, *suivi de* ROBERT *et de* GENEVIÈVE.
THÉSÉE.

Roman

LES FAUX-MONNAYEURS.

Divers

LE VOYAGE D'URIEN.
LE RETOUR DE L'ENFANT PRODIGUE.
SI LE GRAIN NE MEURT.
VOYAGE AU CONGO.
LE RETOUR DU TCHAD.
MORCEAUX CHOISIS.
CORYDON.

INCIDENCES.
DIVERS.
JOURNAL DES FAUX-MONNAYEURS.
RETOUR DE L'U.R.S.S.
RETOUCHES À MON RETOUR DE L'U.R.S.S.
PAGES DE JOURNAL 1929-1932.
NOUVELLES PAGES DE JOURNAL.
DÉCOUVRONS HENRI MICHAUX.
JOURNAL 1939-1942.
JOURNAL 1942-1949.
INTERVIEWS IMAGINAIRES.
AINSI SOIT-IL ou LES JEUX SONT FAITS.
LITTÉRATURE ENGAGÉE *(Textes réunis et présentés par Yvonne Davet).*
ŒUVRES COMPLÈTES *(15 vol.).*
DOSTOÏEVSKI.
NE JUGEZ PAS (Souvenirs de la cour d'assises, L'affaire Redureau, La séquestrée de Poitiers).

Théâtre

THÉÂTRE (Saül, Le roi Candaule, Œdipe, Perséphone, Le treizième arbre).
LES CAVES DU VATICAN, *farce d'après la sotie du même auteur.*
LE PROCÈS, *en collaboration avec J.-L. Barrault, d'après le roman de Kafka.*

Correspondance

CORRESPONDANCE AVEC FRANCIS JAMMES (1893-1938). *(Préface et notes de Robert Mallet.)*
CORRESPONDANCE AVEC PAUL CLAUDEL (1899-1926). *(Préface et notes de Robert Mallet.)*
CORRESPONDANCE AVEC PAUL VALÉRY (1890-1942). *(Préface et notes de Sidney D. Braun.)*

CORRESPONDANCE AVEC FRANÇOIS MAURIAC (1912-1950). *(Introduction et notes de Jacqueline Morton — Cahiers André Gide, n° 2.)*

CORRESPONDANCE AVEC ROGER MARTIN DU GARD, I (1913-1934) et II (1935-1951). *(Introduction par Jean Delay.)*

CORRESPONDANCE AVEC HENRI GHÉON (1897-1944, I et II). *(Édition de Jean Tipy ; introduction et notes d'Anne-Marie Moulènes et Jean Tipy.)*

CORRESPONDANCE AVEC JACQUES-ÉMILE BLANCHE (1892-1939). *(Présentation et notes par Georges-Paul Collet — Cahiers André Gide, n° 8.)*

CORRESPONDANCE AVEC DOROTHY BUSSY, I (juin 1918-décembre 1924). *(Présentation et notes de Jean Lambert — Cahiers André Gide, n° 9.)*

Bibliothèque de la Pléiade

JOURNAL 1889-1939.
JOURNAL 1939-1949. SOUVENIRS.
ANTHOLOGIE DE LA POÉSIE FRANÇAISE.
ROMANS, RÉCITS ET SOTIES. ŒUVRES LYRIQUES.

Chez d'autres éditeurs

DOSTOÏEVSKY.
ESSAI SUR MONTAIGNE. *(Épuisé.)*
NUMQUID ET TU ? *(Épuisé.)*
L'IMMORTALISTE.
LA PORTE ÉTROITE.
PRÉTEXTES.
NOUVEAUX PRÉTEXTES.
OSCAR WILDE (In Memoriam — De Profundis).
UN ESPRIT NON PRÉVENU.

Impression Bussière à Saint-Amand (Cher),
le 14 août 1985.
Dépôt légal : août 1985.
1er dépôt légal dans la collection : juillet 1978.
Numéro d'imprimeur : 2154.
ISBN 2-07-037044-5 /Imprimé en France